# De Colón al siglo xxi

D0356676

De Colón al siglo XXI

*Por Mimi ~*
*Abrazos —*
*♡    Mosca*

# Breve
# historia
# de Cuba

Editorial Capitán San Luis
La Habana, Cuba, 2012

*Selección de textos, diseño y realización:* **Julio Cubría**
*Edición:* **Martha Pon**
*Fuentes Consultadas:* **Instituto de Historia de Cuba y Oficina Nacional de Estadísticas**

ISBN: 978-959-211-354-1

Editorial Capitán San Luis.
Calle 38 no. 4717 entre 40 y 47, Kohly
Playa, Ciudad de La Habana, Cuba.
Email: direccion@ecsanluis.rem.cu

"Un pueblo no es independiente cuando ha sacudido las cadenas de sus amos, empieza a serlo cuando se ha arrancado de su ser los vicios de la vencida esclavitud, y para patria y vivir nuevos, alza e informa conceptos de la vida radicalmente opuestos a la costumbre de servilismo pasado, a las memorias de debilidad y de lisonja que las dominaciones despóticas usan como elementos de dominio sobre los pueblos esclavos".

*José Martí*

# Índice

Pretender abarcar la historia de Cuba en unas pocas cuartillas es, más que una fantasía, un ejercicio estéril. Nuestra historia es tan rica que aún existen períodos no suficientemente explorados y mucho menos abordados con la objetividad que el paso de los años brinda a los especialistas que se dedican a estos asuntos.

Con este breve recorrido a través de los principales acontecimientos, dividido en tres períodos: colonial, neocolonial y revolucionario; intentamos acercar de manera muy general al lector, a lo que ha sido el largo proceso de formación de nuestra nacionalidad.

Aquí también encontrará las principales características geográficas de la Isla, sus 15 provincias y el municipio especial Isla de la Juventud.

PRIMEROS HABITANTES. LLEGA COLÓN

Cuando Cristóbal Colón arribó a Cuba el 27 de octubre de 1492 y sus naves recorrieron durante cuarenta días la costa norte oriental de la Isla, pudo apreciar, junto a los encantos de la naturaleza exuberante, la presencia de pobladores pacíficos e ingenuos que le ofrecían algodón, hilado y pequeños pedazos de oro a cambio de baratijas.

Dos años después, al explorar la costa sur de Cuba durante su segundo viaje, el Almirante se percataría de la diversidad de esos pobladores indígenas, pues los aborígenes de la región oriental que lo acompañaban, no podían entenderse con los habitantes de la parte occidental.

La población de la Isla se había iniciado cuatro milenios antes con la llegada de diversas corrientes migratorias: las primeras probablemente procedentes del norte del continente a través de la Florida, y las posteriores llegadas en sucesivas oleadas desde la boca del Orinoco a lo largo del arco de las Antillas.

Entre los aproximadamente 100 000 indígenas que poblaban la Isla al iniciarse la conquista española, existían grupos con distintos niveles de desarrollo sociocultural.

Los más antiguos y atrasados –ya casi extinguidos en el siglo xv– vivían de la pesca y la recolección y fabricaban sus instrumentos con las conchas de grandes moluscos. Otro grupo, sin despreciar la concha, poseía instrumentos de piedra pulida y, junto a las actividades recolectoras, practicaba la caza y la pesca.

Más avanzados, los procedentes de Sudamérica –pertenecientes al tronco arauco– eran agricultores y con su principal cultivo, la yuca, fabricaban el casabe, alimento que no solo podía comerse en el momento, sino que también se podía conservar. Confeccionaban objetos y recipientes de cerámica y poseían un variado instrumental de concha y piedra pulida.

Sus casas de madera y guano de palma –los bohíos– agrupadas en pequeños poblados aborígenes, constituirían durante varios siglos un elemento fundamental del habitat del campesinado cubano.

## La sociedad colonial

La conquista de la Isla por España se inicia casi dos décadas después del primer viaje de Colón, como parte del proceso de ocupación que se irradiaba hacia diversas tierras

11

del Caribe. A Diego Velázquez, uno de los  más ricos colonos de La Española, se le encargó sojuzgar el territorio cubano que se inició en 1510 con una prolongada operación de reconocimiento y conquista, plagada de cruentos incidentes. Alertados acerca de las tropelías cometidas por los españoles en las islas vecinas, los aborígenes de la región oriental de Cuba resistieron la invasión hispana, dirigidos por Yahatuey o Hatuey, un cacique fugitivo de La Española, quien finalmente fue apresado y quemado vivo como escarmiento.

Con la fundación de Nuestra Señora de la Asunción de Baracoa, en 1512, los españoles emprendieron el establecimiento de siete villas con el objetivo de controlar el territorio conquistado –Bayamo (1513), la Santísima Trinidad, Sancti Spíritus y San Cristóbal de La Habana (1514), Puerto Príncipe (1515)– hasta concluir con Santiago de Cuba (1515), designada sede del gobierno. Desde estos asentamientos que en su mayoría cambiaron su primitiva ubicación, iniciaron los conquistadores la explotación de los recursos de la Isla.

La actividad económica se sustentó en el trabajo de los indígenas, entregados a los colonos por la Corona mediante el sistema de "encomiendas", una especie de concesión personal, revocable y no transmisible, mediante el cual el colono se comprometía a vestir, alimentar y cristianizar al aborigen a cambio del derecho de hacerlo trabajar para su beneficio. El renglón económico dominante en estos primeros años de la colonia fue la minería, específicamente la extracción de oro, actividad en la cual se emplearon indios encomendados así como algunos esclavos negros que se integraron desde muy temprano al conglomerado étnico que siglos después constituiría el pueblo cubano.

El rápido agotamiento de los lavaderos de oro y la drástica reducción de la población –incluidos los españoles alistados en gran número en las sucesivas expediciones para la conquista del continente– convirtieron a la ganadería en la principal fuente de riqueza de Cuba. A falta de oro, la carne salada y los cueros serían las mercancías casi exclusivas con que los escasos colonos de la Isla podrían incorporarse a los circuitos comerciales del naciente imperio español.

Concebido bajo rígidos principios mercantilistas, el comercio imperial se desarrollaría como un cerrado monopolio que manejaba la Casa de Contratación de Sevilla, lo que no tardó en despertar los celosos apetitos de otras naciones europeas.

Corsarios y filibusteros franceses, holandeses e ingleses asolaron el Caribe, capturaron navíos y saquearon ciudades y poblados. Cuba no escapó de esos asaltos: los nombres de Jacques de Sores, Francis Drake y Henry Morgan mantuvieron en pie de guerra por

Henry Morgan
Bucanero Inglés

más de un siglo a los habitantes de la Isla. Las guerras y la piratería también trajeron sus ventajas. Para resguardar el comercio, España decidió organizar grandes flotas que tendrían como punto de escala obligado el puerto de La Habana, estratégicamente situado al inicio de la corriente del Golfo.

La periódica afluencia de comerciantes y viajeros, así como los recursos destinados a financiar la construcción y defensa de las fortificaciones que, como el Castillo del Morro, guarnecían la bahía habanera, se convertirían en una importantísima fuente de ingresos para Cuba.

Los pobladores de las regiones alejadas, excluidos de tales beneficios, apelaron entonces a un lucrativo comercio de contrabando con los propios piratas y corsarios que de este modo menos agresivo también burlaban el monopolio comercial sevillano. Empeñadas en sofocar tales intercambios, las autoridades coloniales terminaron por chocar con los vecinos, principalmente los de la villa de Bayamo, quienes con su sublevación de 1603 ofrecieron una temprana evidencia de la diversidad de intereses entre la "gente de la tierra" y el gobierno metropolitano. Uno de los incidentes provocados por el contrabando inspiró poco después el poema *Espejo de Paciencia,* documento primigenio de la historia literaria cubana.

A principios del siglo XVII, la Isla, que en ese momento contaba con unos 30 000 habitantes, fue dividida en dos gobiernos: uno en La Habana y el otro en Santiago de Cuba, aunque la capital se estableció en aquella; lentamente la actividad económica crecía y se diversificaba con el desarrollo del cultivo del tabaco y la producción de azúcar de caña. De manera paulatina se establecieron nuevos pueblos, casi todos alejados de las costas; crecieron las primitivas villas, donde comenzaba a manifestarse un estilo de vida más acomodado y a practicarse frecuentes diversiones, desde los juegos y bailes hasta las corridas de toros y los altares de cruz. De la actividad religiosa que era con mucho la nota dominante de la vida social, quedarían importantes huellas arquitectónicas, entre las que vale como muestra el magnífico Convento de Santa Clara.

La subida al trono español de la dinastía Borbón, a principios del siglo XVIII, trajo aparejada una modernización de las concepciones mercantilistas que presidían el comercio colonial. Lejos de debilitarse, el monopolio se diversificó y se dejó sentir de diverso modo en la vida económica de las colonias. En el caso cubano ello condujo a la instauración del estanco del tabaco, destinado a monopolizar en beneficio de la Corona la elaboración y comercio de la aromática hoja, convertida ya en el más productivo renglón económico de la Isla. La medida fue resistida por comerciantes y cultivadores, lo que dio lugar a protestas y sublevaciones, la tercera de las cuales fue violentamente reprimida mediante la ejecución de once vegueros en Santiago de Las Vegas, población próxima a la capital. Imposibilitados de vencer el monopolio, los más ricos habaneros decidieron participar de sus beneficios. Asociados con comerciantes peninsulares lograron interesar al Rey y obtener su favor para constituir una Real Compañía de Comercio de La Habana (1740), la cual monopolizó por más de dos décadas la actividad mercantil de Cuba.

El siglo XVIII fue escenario de sucesivas guerras entre las principales potencias europeas, que en el ámbito americano persiguieron un definido interés mercantil. Todas ellas afectaron a Cuba de uno u otro modo, pero sin duda la más trascendente fue la de los Siete Años (1756-1763), en el curso de la cual La Habana fue tomada por un cuerpo expedicionario inglés. La ineficacia de las máximas autoridades españolas en la defensa de la ciudad contrastó con la disposición combativa de los criollos, expresada sobre todo en la figura de José Antonio Gómez, valeroso capitán de milicia de la cercana villa de Guanabacoa, muerto a consecuencia de los combates.

Durante los once meses que duró la ocupación inglesa –agosto de 1762 a julio de 1763–, La Habana fue teatro de una intensa actividad mercantil que pondría de manifiesto las posibilidades de la economía cubana, hasta ese momento aherrojada por el sistema colonial español.

Al restablecerse el dominio hispano sobre la parte occidental de la Isla, el Rey Carlos III y sus ministros "ilustrados" adoptaron una sucesión de medidas que favorecerían el progreso del país.

La primera de ellas fue el fortalecimiento de sus defensas, de lo cual sería máxima expresión la construcción de la imponente y costosísima fortaleza de San Carlos de La Cabaña en La Habana; a esta se  sumarían numerosas construcciones civiles, como el Palacio de los Capitanes Generales (de gobierno) y religiosas, como la Catedral, devenidas símbolos del paisaje habanero.

El comercio exterior de la Isla se amplió a la vez que se mejoraron las comunicaciones interiores y se fomentaron nuevos poblados como Pinar del Río y Jaruco. Otras medidas estuvieron encaminadas a renovar la gestión gubernativa, particularmente con la creación de la Intendencia y de la Administración de Rentas.

En este contexto se efectuó el primer censo de población (1774) que arrojó la existencia en Cuba de 171 620 habitantes.

Otra serie de acontecimientos internacionales contribuyeron a la prosperidad de la Isla. El primero de ellos, la guerra de independencia de las Trece Colonias inglesas de Norteamérica, durante la cual España –partícipe del conflicto–

aprobó el comercio entre Cuba y los colonos sublevados. La importancia de este cercano mercado se pondría de manifiesto pocos años después, durante las guerras de la Revolución Francesa y el Imperio napoleónico, en las cuales España se vio involucrada con grave perjuicio para sus comunicaciones coloniales.

En esas circunstancias se autorizó el comercio con los "neutrales" –Estados Unidos– y la economía de la Isla creció vertiginosamente apoyada en la favorable coyuntura que para los precios del azúcar y el café creó la revolución de los esclavos en la vecina Haití. Los hacendados criollos se enriquecieron y su flamante poder se materializó en instituciones que, como la Sociedad Económica de Amigos del País y el Real Consulado, canalizaron su influencia en el gobierno colonial.

Lidereados por Francisco de Arango y Parreño, estos potentados criollos supieron sacar buen partido de la inestable situación política y, una vez restaurada la dinastía borbónica en 1814, obtuvieron importantes concesiones como la libertad del comercio, el desestanco del tabaco y la posibilidad de afianzar legalmente sus posesiones agrarias.

Pero tan notable progreso material se basaba en el horroroso incremento de la esclavitud. A partir de 1790, en solo treinta años, fueron introducidos en Cuba más esclavos africanos que en el siglo y medio anterior. Con una población que en 1841 superaba ya el millón y medio de habitantes, la Isla albergaba una sociedad sumamente polarizada; entre una oligarquía de terratenientes criollos, grandes comerciantes españoles y la gran masa esclava, subsistían las disímiles capas medias, integradas por negros y mulatos libres y los blancos humildes del campo y las ciudades, estos últimos cada vez más remisos a realizar trabajos manuales considerados vejaminosos y propios de esclavos. La esclavitud constituyó una importante fuente de inestabilidad social, no solo por las frecuentes manifestaciones de rebeldía de los esclavos –tanto individuales como en grupos– sino porque el repudio a dicha institución dio lugar a conspiraciones de propósitos abolicionistas.

Entre estas se encuentran la encabezada por el negro libre José Antonio Aponte, abortada en La Habana en 1812, y la conocida Conspiración de la Escalera (1844), que originó una cruenta represión. En la última conspiración perdieron la vida numerosos esclavos, negros y mulatos libres, entre quienes figuraba el poeta Gabriel de la Concepción Valdés, *Plácido*.

El desarrollo de la colonia acentuó las diferencias de intereses con la metrópoli. A las inequívocas manifestaciones de una nacionalidad cubana emergente, plasmadas en la literatura y otras expresiones culturales durante el último tercio del siglo XVIII, sucederían definidas tendencias políticas que proponían disímiles y encontradas soluciones a los problemas de la Isla.

El cauto reformismo promovido por Arango y los criollos acaudalados encontró continuidad en un liberalismo de corte igualmente reformista encarnado por José Antonio Saco, José de la Luz y Caballero y otros prestigiosos intelectuales vinculados al sector cubano de los grandes hacendados.

José de la Luz y Caballero

La rapaz y discriminatoria política colonial de España en Cuba tras la pérdida de sus posesiones en el continente, habría de frustrar en reiteradas ocasiones las expectativas reformistas. Esto favoreció el desarrollo de otra corriente política que cifraba sus esperanzas de solución de los problemas cubanos en la anexión a Estados Unidos. En esta actitud convergía tanto un sector de los hacendados esclavistas que veía en la incorporación de Cuba a la unión norteamericana una garantía para la supervivencia de la esclavitud –dado el apoyo que encontrarían en los estados sureños– como individuos animados por las posibilidades que ofrecía la democracia estadounidense en comparación con el despotismo hispano. Los primeros, agrupados en el Club de La Habana, favorecieron las gestiones de compra de la Isla por parte del gobierno de Washington,

20

así como las posibilidades de una invasión "liberadora" encabezada por algún general norteamericano.

En esta última dirección encaminó sus esfuerzos Narciso López, general de origen venezolano que, tras haber servido largos años en el ejército español, se involucró en los trajines conspirativos anexionistas. López condujo a Cuba dos fracasadas expediciones, y en la última fue capturado y ejecutado por las autoridades coloniales en 1851.

Otra corriente separatista más radical aspiraba a conquistar la independencia de Cuba. De temprana aparición –en 1810 se descubre la primera conspiración independentista liderada por Román de la Luz–, este separatismo alcanza un momento de auge en los primeros años de la década de 1820. Bajo el influjo coincidente de la gesta emancipadora en el continente y el trienio constitucional en España, proliferaron en la Isla logias masónicas y sociedades secretas. Dos importantes conspiraciones fueron abortadas en esta etapa: la de los Soles y Rayos de Bolívar (1823), en la que participaba el poeta José María Heredia –cumbre del romanticismo literario cubano– y más adelante la

Gran Legión del Águila Negra, alentada desde México.

También por estos años, el independentismo encontraba su plena fundamentación ideológica en la obra del presbítero Félix Varela.

Profesor de filosofía en el Seminario de San Carlos en La Habana, Varela fue electo como diputado a Cortes en 1821; tuvo que huir de España cuando Fernando VII, con la invasión de los "cien mil hijos de San Luis", restauró el absolutismo. Radicado en Estados Unidos, comenzó a publicar allí el periódico *El Habanero* dedicado a la divulgación del ideario independentista.

Su esfuerzo, sin embargo, tardaría largos años en fructificar pues las circunstancias, tanto internas como externas, no resultaban favorables al independentismo cubano.

En los años posteriores, la situación económica cubana experimentó cambios significativos, la producción cafetalera se derrumbó abatida por la torpe política arancelaria española, la competencia del grano brasileño y la superior rentabilidad de la caña.

La propia producción azucarera se vio impelida a la modernización de sus manufacturas ante el empuje mercantil de Europa con el azúcar de remolacha. Cada vez más dependiente de un solo producto –el azúcar– y del mercado estadounidense, Cuba estaba urgida de profundas transformaciones socioeconómicas a las cuales la esclavitud y la expoliación colonial española interponían grandes obstáculos.

El fracaso de la Junta de Información convocada en 1867 por el gobierno metropolitano para revisar su política colonial en Cuba, supuso un golpe demoledor para las esperanzas reformistas frustradas en reiteradas ocasiones. Tales circunstancias favorecieron el independentismo latente entre los sectores más avanzados de la sociedad cubana, propiciando la articulación de un vasto movimiento conspirativo en las regiones del centro y oriente del país.

El movimiento estalló el 10 de octubre de 1868 al levantarse en armas el abogado bayamés Carlos Manuel de Céspedes del Castillo, uno de los principales conspiradores, quien en su ingenio La Demajagua proclamó la independencia y dio la libertad a sus esclavos. El alzamiento, secundado poco después por los conspiradores de Camagüey y Las Villas, logró afirmarse, no obstante la despiadada reacción hispana.

Mientras los españoles de las ciudades, agrupados en los cuerpos de voluntarios, sembraban el terror entre las familias cubanas convirtiéndose en un influyente factor de las decisiones políticas, el ejército colonial avanzaba sobre Bayamo –la capital insurrecta– que los cubanos tendrían que abandonar, no sin antes reducirla a cenizas como expresión de su inclaudicable voluntad revolucionaria. En tan difíciles condiciones, el movimiento independentista logró unificarse, aprobando en Guáimaro la constitución que daba lugar a la República de Cuba en Armas.

23

El ejército libertador cubano, tras meses de duro aprendizaje militar, alcanzó una capaci- dad ofensiva que se pondría de manifiesto en la invasión de la rica región de Guantánamo por el General Máximo Gómez y las brillantes acciones libradas en las sabanas camagüeyanas por la caballería al mando de Ignacio Agramonte quien, el 7 de octubre de 1871, se cubrió de gloria cuando, al frente de 35 jinetes, protagonizó la audaz hazaña de rescatar al entonces General de Brigada Julio Sanguily, quien horas antes había caído en poder de los españoles. Con un pequeño grupo de hombres logró arrebatarle vivo el prisionero a fuerzas muy superiores en número. Pero este avance militar se vio lastrado por las diferencias políticas en el campo revolucionario, las cuales condujeron a la deposición de Céspedes de su cargo de Presidente de la República (1873) e impidieron el tan necesario apoyo en armas y medios de los patriotas emigrados. Una influencia igualmente negativa ejerció la política de hostilidad hacia los revolucionarios cubanos adoptada por el gobierno de Estados Unidos que, frente a la gesta independentista, prefirió atenerse a su vieja política confiado en que el destino de Cuba gravitaría indefectiblemente hacia el dominio norteamericano.

El empuje militar cubano alcanzó su cenit entre 1874 y 1875, primero con la campaña de Máximo Gómez en Camagüey, jalonada por los victoriosos combates de La Sacra y Palo Seco y la batalla de Las Guásimas –donde el ejército cubano derrotó una fuerza española de más de 4 000 hombres– y la posterior invasión a Las Villas por las tropas mambisas al mando del genial general dominicano. Pero el trascendental avance estratégico resultó desvirtuado nuevamente por las disensiones intestinas que, al entorpecer la llegada de vitales refuerzos, posibilitaron el empantanamiento de la invasión sin conseguir su objetivo de llevar la guerra al rico territorio occidental de la Isla.

El debilitamiento del esfuerzo independentista coincidió con la recuperación de la capacidad político-militar española, cuando la restauración monárquica de 1876 puso fin a las violentas conmociones que habían caracterizado la vida de la península tras la "revolución gloriosa" de 1868 y con la posterior proclamación de la república.

El desfavorable sesgo de la correlación de fuerzas y el desgaste en el campo insurrecto, posibilitaron que un importante sector del movimiento independentista aceptase las propuestas del General español Arsenio Martínez Campos. La paz sin independencia firmada en el Zanjón (1878) no obtuvo el consenso de las fuerzas mambisas y en particular fue rechazada por el General Antonio Maceo, jefe de las fuerzas de la parte más

oriental de la Isla, quien, no obstante su humilde origen, había escalado la más alta jerarquía del Ejército Libertador a fuerza de valentía y capacidad combativa. Aunque las acciones militares insurrectas no pudieron sostenerse por mucho tiempo, la Protesta de Baraguá, escenificada por Maceo y sus tropas que encarnaban los sectores más populares del movimiento revolucionario, constituyó la evidencia mayor de la irrevocable voluntad de los cubanos de continuar la lucha por la independencia.

En la década de 1880, la Isla atravesaría por un proceso de grandes cambios económicos y sociales. La esclavitud, muy quebrantada ya por la Revolución de 1868, fue finalmente abolida por España en 1886. Ello estuvo acompañado por notables transformaciones en la organización de la producción azucarera, la cual alcanzaba definitivamente una etapa industrial. La dependencia comercial cubana respecto a Estados Unidos se haría prácticamente absoluta, y los capitales norteamericanos comenzaron a invertirse de manera creciente en diversos sectores de la economía.

La burguesía insular, alejada de aspiraciones independentistas, había dado lugar a dos formaciones políticas: el Partido Liberal, más adelante denominado Autonomista que retomaba la vieja tendencia de conseguir reformas del sistema colonial español hasta alcanzar fórmulas de autogobierno, y el Partido Unión Constitucional, expresión reaccionaria de los sectores interesados en la plena integración de Cuba a España. El independentismo, reafirmado en su base popular, sería alentado sobre todo desde la emigración. Un primer estallido, la llamada Guerra Chiquita (1879), llevó nuevamente a los cubanos al campo de batalla en los territorios orientales y villareños, pero pudo ser sofocada después de algunos meses por su escasa organización y débil coherencia política. A ella sucederían periódicos desembarcos, conspiraciones y alzamientos casi siempre encabezados por los jefes militares de la Guerra de los Diez Años, los cuales fueron abortados por las autoridades españolas dada la incapacidad de articular las acciones con un movimiento de masas amplio y unido. Esa sería la obra de José Martí.

Entregado desde su adolescencia al ideal independentista, José Martí y Pérez (La Habana, 1853) sufrió prisión y destierro durante la Guerra de los Diez Años. Sus vínculos con movimientos conspirativos posteriores le permitieron comprender que la Revolución Cubana debía asentarse sobre nuevas bases programáticas y organizativas, tarea a la cual se entregó por entero.

Dotado de exquisita sensibilidad poética y brillantes facultades oratorias, Martí poseía también un profundo pensamiento político, enriquecido por la experiencia de sus años de vida en España, Estados Unidos y distintos países latinoamericanos.

Su labor de esclarecimiento y unificación, centrada en los núcleos de emigrados cubanos principalmente en Estados Unidos pero con amplia repercusión en la Isla, cristalizó en 1892 con la constitución del Partido Revolucionario Cubano. Concebido como la organización única de todos los independentistas cubanos, el Partido debía conseguir los medios materiales y humanos para la nueva empresa emancipadora e investir a los jefes militares de la imprescindible autoridad política para desencadenar la Guerra Necesaria que estalló el 24 de febrero de 1895.

Martí, que desembarcó en Cuba acompañado por Máximo Gómez, Jefe del Ejército Libertador, caía poco después en la acción de Dos Ríos. Pese a esta pérdida irreparable, la Revolución se desarrolló en la provincia de Oriente, donde Maceo –llegado en una expedición desde Costa Rica– había asumido el mando de las fuerzas mambisas, y se extendió poco después a Camagüey y Las Villas. Reunidos en Jimaguayú, los delegados del Ejército Libertador elaboraron la constitución que regiría los destinos de la República en Armas. La asamblea eligió presidente al patricio camagüeyano Salvador Cisneros Betancourt y designó General en Jefe y Lugarteniente General del Ejército Libertador a Máximo Gómez y Antonio Maceo, respectivamente. Poco después, Maceo partía de Baraguá al frente de una columna invasora que, unida a las fuerzas de Gómez que aguardaban en Las Villas, debía avanzar sobre el occidente de la

Isla. Tras los exitosos combates de Mal Tiempo, Coliseo y Calimete, el contingente invasor penetró en la provincia habanera, llevando el pánico a las autoridades coloniales en la capital. Con la llegada de las fuerzas de Maceo a Mantua, la población más occidental de Cuba, la invasión cumplía exitosamente su objetivo: la guerra hacía sentir sus devastadores efectos en toda la Isla, cuyos principales renglones productivos experimentaron un brusco descenso. En esta ocasión, España no podría extraer de Cuba los recursos necesarios para combatir su independencia.

Para enfrentar la insurrección generalizada, la metrópoli designó Capitán General de la Isla a Valeriano Weyler, quien llegó a Cuba y fue apoyado con cuantiosos refuerzos para desarrollar una guerra de exterminio. Pese al elevado costo humano que entrañaba este tipo de contienda –sobre todo por la reconcentración de la población campesina en las ciudades–, Weyler no pudo contener la insurrección, la campaña de Gómez en La Habana y la de Maceo en Pinar del Río mantendrían en jaque al ejército colonialista.

Víctima de la Reconcentración

Aunque actuando en difíciles condiciones, las fuerzas mambisas recibían con cierta periodicidad los recursos bélicos remitidos desde la emigración por el Partido Revolucionario Cubano que, unido al armamento arrebatado al enemigo, le permitían mantener su capacidad combativa.

En diciembre de 1896 se produce la caída de Maceo en el combate de San Pedro, y es sustituido en el cargo de Lugarteniente General del Ejército Libertador por Calixto García, otro brillante general de la Guerra de los Diez Años. Gómez decide entonces concentrar sobre sí lo mejor de las fuerzas españolas, a las que somete a una demoledora campaña de desgaste en el centro de la Isla. Deja así las manos libres a García, quien libra importantes combates en Oriente, y logra la captura de las plazas fortificadas de Tunas y Guisa. Mientras, en occidente se producen miles de acciones de mediana y pequeña escala. La suerte del colonialismo español estaba echada.

El desarrollo de la Revolución en Cuba, visto con creciente simpatía por el pueblo norteamericano, hace que el 19 de abril ambas Cámaras del Congreso estadounidense aprueben la Resolución Conjunta mediante la cual el gobierno de Washington intervenía en el conflicto. Según el documento Cuba debía ser libre e independiente y Estados Unidos se retiraría de la Isla cuando existieran las garantías de un gobierno estable. Cediendo en parte a presiones estadounidenses, España otorga la autonomía a Cuba, medida tardía que no surte el efecto esperado.

Se produce entonces –febrero de 1898– la explosión del acorazado *Maine* en el puerto habanero, hecho que Washington tomará como

pretexto para movilizar la opinión pública e intervenir directamente en la guerra.

Aunque admite formalmente la independencia de Cuba, sin reconocer sus instituciones, Estados Unidos entra en guerra con España y, con la colaboración de las fuerzas mambisas, desembarca sus tropas en la costa sur de la zona oriental de Cuba. Las acciones se libran en torno a Santiago de Cuba.

La flota española ha quedado bloqueada en el puerto santiaguero, intenta una salida en la cual es aniquilada por la superioridad de las fuerzas navales norteamericanas. Tras el asalto a las defensas externas de la ciudad por las fuerzas cubano-estadounidenses, el mando español decide rendirse. Hecho sintomático: los jefes militares cubanos, encabezados por Calixto García son excluidos del acto de rendición y se prohíbe la entrada de sus fuerzas en la ciudad. Meses después, según el Tratado de París, España traspasará Cuba a los Estados Unidos sin que se tuviesen en cuenta para nada las instituciones representativas del pueblo cubano.

## OCUPACIÓN MILITAR DE ESTADOS UNIDOS EN CUBA

Con la firma del Tratado de París, la situación política de la ex colonia se indefinía. Cuba dejaba de ser colonia pero, al mismo tiempo, el establecimiento de la república tampoco se realizaba. Se iniciaba un período transicional, mediado por la presencia directa de Estados Unidos en el manejo de los destinos insulares.

El 1° de enero de 1899, Estados Unidos entraba formalmente en posesión de Cuba. Se materializaba así una antigua ambición. Se trataba ahora de definir el futuro de Cuba, y cualquiera que este fuese, el gobierno de Washington consideraba conveniente la desaparición de las instituciones representativas del movimiento libertador cubano.

A ello contribuirían las debilidades y contradicciones existentes entre los cubanos, sobre todo, las discrepancias surgidas entre Máximo Gómez, General en Jefe del Ejército Libertador y la Asamblea de Representantes, máximo órgano político de la Revolución. Estas discrepancias fundamentalmente se referían a los procedimientos para licenciar al Ejército Libertador.

El resultado fue la desaparición de ambas instituciones que, junto con la disolución del Partido Revolucionario Cubano (PRC) por decisión de su delegado Tomás Estrada Palma, disgregó y dejó acéfalas a las fuerzas independentistas.

La ocupación militar, legitimada por el Tratado de París del 10 de diciembre de 1898, constituyó el marco experimental para la aplicación de la política con respecto a Cuba. Para Estados Unidos este fue un período de fuertes tensiones internas y externas, matizadas por presiones internas y negociaciones alrededor de la toma de decisiones gubernamentales.

Entre los factores que incidían en la inestabilidad cubana se encontraba el manejo de la problemática del país por los sectores que de una u otra forma estaban interesados en su desenlace. A pesar de los esfuerzos de los grupos pacifistas de Estados Unidos, la tendencia anexionista en todas sus variantes se abría un espacio cada vez más importante en las esferas de poder. Sin embargo, algo que debe destacarse es que en cada una de estas variantes del anexionismo predominaba el concepto más o menos peyorativo del supuesto "infantilismo" de los cubanos. Es decir, la criatura, al empezar a dar sus primeros pasos, no podía prescindir del brazo fuerte del padre que la sostuviera, la ayudara y la protegiera de posibles caídas.

Una de las alternativas llegó a su máxima expresión en los meses finales del gobierno de John Rutler Brooke, primer gobernador militar de la Isla y consistió en traspasar la soberanía de Cuba a un gobierno civil que convirtiera a Cuba, de un solo golpe, en territorio estadounidense. Esta idea cobró fuerza entre los círculos expansionistas y sus principales voceros.

La oposición interna a esta variante y sobre  todo el rechazo del pueblo cubano a esa pretensión conllevó a que el nuevo gobernador, Leonard Wood,[1] concibiera la idea de "americanizar" a la Isla por medio de una ocupación prolongada. Esta idea tuvo dos vertientes fundamentales: la primera, era un amplio proyecto reformador centralizado "desde arriba" y en esencia implicaba la transformación de la sociedad cubana (escuelas, sistema de sanidad, sistema judicial, sistema de gobierno, ayuntamiento, etc.); la segunda línea de acción se encaminaba al fomento de la inmigración, fundamentalmente de origen anglosajón, con vista a una colonización gradual que "desde abajo" fuera introduciendo la idiosincrasia de la sociedad norteamericana.

Sin embargo, ninguno de los proyectos tenía como objetivo transformar las caducas

[1]  Segundo Gobernador militar. Ocupó el mando de la Isla a partir del 20 de diciembre de 1899 y lo desempeñó hasta el 20 de mayo de 1902.

estructuras de la ex colonia española en su tránsito hacia la independencia, sino crear las condiciones para el fomento de un "mercado de tierra" que facilitara el traspaso de las propiedades a manos de políticos, magnates y propietarios norteños. Mientras tanto, la escasez de capitales y de fuentes de crédito colocaba a los hacendados cubanos en una situación en extremo desventajosa para el restablecimiento de sus negocios, sobre todo lo relacionado con el importante renglón azucarero, muy lesionado por la guerra.

No obstante, la necesidad de un cambio de política aumentaba por día y desde fecha tan temprana como 1899 comenzó a ventilarse la posibilidad de preparar el terreno para la anexión, no mediante la prolongación de la ocupación militar directa, sino con el establecimiento de una república bajo determinadas condiciones. La supuesta incapacidad de los cubanos para gobernarse por sí mismos haría que muy pronto y de forma natural, ellos mismos solicitaran la anexión al poderoso vecino.

La primera piedra del edificio sería dictar las disposiciones sobre la convocatoria a la Asamblea Constituyente de Cuba, según la Ley militar No. 301 del 25 de julio de 1900. De acuerdo con lo dispuesto, la Convención debía redactar y adoptar una constitución para el pueblo de Cuba, y como parte de la misma proveer y acordar con el Gobierno de Estados Unidos lo referente a las relaciones que deberían existir entre ambos gobiernos. En medio de los trabajos de la Comisión cubana encargada de dictaminar sobre las futuras relaciones entre Cuba y Estados Unidos, el Congreso norteamericano aprueba la Enmienda Platt, con la que el gobierno de Estados Unidos se otorgaba el derecho a intervenir en los asuntos internos de la Isla cuando lo entendiera conveniente.

A pesar de la oposición de los delegados a la Asamblea Constituyente, la presión norteamericana, que colocaba a los cubanos ante la disyuntiva de tener una república con la Enmienda que limitaba su independencia o de continuar la ocupación, logró su aprobación definitiva por los cubanos el 12 de junio de 1901.

## Primeras décadas de la república neocolonial

El 20 de mayo de 1902 se establece la república neocolonial. Su primer presidente, Tomás Estrada Palma,[2] contaba con el visto bueno de las autoridades norteamericanas como posible freno a la ascendencia del liderazgo militar más radical en la vida política del país.

Al mismo tiempo, el prestigio de Estrada Palma dentro de los círculos revolucionarios lo convirtió en uno de los candidatos favoritos entre amplios sectores de la población cubana. La desunión existente se acentúa al producirse el fracaso de la candidatura propuesta por Máximo Gómez, en la que

[2] Tomás Estrada Palma (1835-1908). Primer presidente de la república neocolonial. Su decisión de reelegirse en 1905 produjo un hondo malestar entre sus adversarios políticos y diversos sectores populares. Ante la inminencia de su derrota, solicitó y obtuvo una nueva intervención militar de EE.UU. en Cuba.

Estrada Palma sería Presidente y Bartolomé Masó, quien había sido el último Presidente de la República en Armas, sería Vicepresidente.

A este primer gobierno correspondería la difícil, desagradable e ingrata tarea de formalizar los vínculos de dependencia con Estados Unidos. A tal efecto, se firmó un conjunto de tratados que incluían el de Reciprocidad Comercial que aseguraba a Estados Unidos el control del mercado cubano y consolidaba la estructura monoproductora de la economía cubana, el Tratado Permanente, que daba forma jurídica a las estipulaciones de la Enmienda Platt y el destinado a definir el emplazamiento de las estaciones navales norteamericanas.

La peculiar austeridad del presidente Estrada Palma le hizo ganarse un prestigio de honestidad mucho más cimentado por la desfachatez de los que le sucedieron en la jefatura del gobierno. En cambio, el anciano presidente no pudo sustraerse a las ambiciones políticas y se hizo reelegir mediante unas elecciones amañadas que inauguraron una invariable tradición en la historia de la República.

El hecho provocó la sublevación del opositor Partido Liberal, desencadenando los acontecimientos que condujeron a una nueva intervención norteamericana. Durante casi tres años, 1906-1909, la Isla se mantuvo bajo la administración estadounidense, período que contribuiría a definir los rasgos del sistema republicano con una curiosa combinación de normación jurídica y corrupción gubernativa.

Bajo el imperio de la Enmienda Platt, los partidos políticos constituidos sobre la base del caciquismo y las clientelas –básicamente dos partidos– el Liberal y el Conservador se disputaron el poder mediante trampas electorales y asonadas insurreccionales.

El botín del triunfador era el tesoro público, fuente de enriquecimiento para una "clase política" que, teniendo en cuenta el creciente control de la economía cubana por los capitales estadounidenses, no encontraba otra esfera donde aplicar más provechosamente su talento. La gestión gubernativa daría así motivos para frecuentes escándalos.

Tales escándalos no escasearon durante el gobierno de José Miguel Gómez (1909-1913),[3] cuyo desempeño quedaría además marcado por la bárbara represión contra el levantamiento de los Independientes de Color, movimiento con el cual muchos negros y mula-  tos intentaron luchar contra la discriminación racial, aunque sin una clara conciencia de cómo hacerlo.

---

[3]  Mayor General José Miguel Gómez (1858-1921). Ascendió a la presidencia el 28 de enero de 1909, dando por terminada la segunda ocupación militar de EE.UU. Su gobierno se caracterizó por el auge de la corrupción política y administrativa y por los crímenes políticos.

El adusto conservadurismo de su sucesor, Marío García Menocal (1913-1921),[4] no fue suficiente para ocultar numerosas corruptelas, favorecidas en este caso por la bonanza económica que propició la Primera Guerra Mundial. Menocal logró reelegirse por los procedimientos que ya eran usuales, lo que provocó una nueva rebelión de los liberales y los consiguientes aprestos intervencionistas de Estados Unidos.

## CRISIS DEL SISTEMA NEOCOLONIAL

El gobierno de Washington, preocupado por los frecuentes trastornos políticos de su neocolonia, había diseñado una política de verdadero tutelaje –la llamada diplomacia preventiva– que alcanzó su punto culminante con la designación del general Enoch Crowder en funciones de virtual procónsul, para supervisar y fiscalizar al gobierno de Alfredo Zayas

---

[4] General Mario García Menocal Deop (1866-1941). Tercer presidente de la república neocolonial, simbolizó el ascenso de la oligarquía neocolonial al poder. Concluyó su función con una gran fortuna personal y en proceso de convertirse en hacendado.

(1921-1925),[5] cuya administración sería escenario de trascendentales movimientos políticos.

El generalizado repudio a la injerencia norteamericana y la corrupción gubernamental dieron lugar a diversas corrientes de expresión de las reivindicaciones nacionalistas y democráticas.

El movimiento estudiantil manifestaba un marcado radicalismo que, vertebrado en el propósito de una reforma universitaria, rebasaría rápidamente el marco en el que había surgido para asumir francas proyecciones revolucionarias bajo la dirección de Julio Antonio Mella,[6] El movimiento obrero, cuyas raíces se remontaban a las décadas finales del siglo XIX, había seguido también un curso ascendente

[5] Dr. Alfredo Zayas y Alfonso (1861-1934). Cuarto presidente cubano, su gobierno se caracterizó por la abierta injerencia del gobierno norteamericano y por una serie de escándalos públicos con motivo de medidas gubernamentales y operaciones financieras que afectaban el tesoro nacional en beneficio de intereses particulares de extranjeros y nativos.

[6] Julio Antonio Mella Mac Partland (1903-1929). Una de las figuras cimeras del movimiento revolucionario cubano en la república neocolonial. Fundador de la Federación de Estudiantes Universitarios, la Universidad Popular José Martí, la Liga Antiimperialista y el Partido Comunista de Cuba. Fue asesinado en México el 10 de enero de 1929, por agentes al servicio de Gerardo Machado.

matizado por huelgas –la de los aprendices en 1902 y la de la moneda en 1907 entre las más importantes– que más tarde llegaron a constituir una verdadera oleada debido a la inflación generada por la I Guerra Mundial.

El avance ideológico y organizativo del proletariado, en el cual se dejaban sentir los ecos de la Revolución de Octubre en Rusia, cristalizaría en la constitución de una central obrera nacional en 1925.

Coincidentemente, y como expresión de la conjunción de las corrientes políticas más radicales del movimiento personificadas en Mella y Carlos Baliño, se constituiría en La Habana el primer Partido Comunista.

Los malestares político y social tenían causas muy profundas. La economía cubana había crecido muy rápidamente durante las dos primeras décadas del siglo, estimulada por la reciprocidad comercial con Estados Unidos y la favorable coyuntura creada por la reciente guerra mundial. No obstante ese crecimiento era extremadamente unilateral, basado de modo casi exclusivo en el azúcar y en las relaciones mercantiles con Estados Unidos. Por otra parte, los capitales norteamericanos que habían afluido a la Isla con ritmo ascendente eran los principales beneficiarios del crecimiento, puesto que controlaban el 70 por ciento de la producción azucarera además de su infraestructura y los negocios colaterales.

El bienestar económico derivado de este proceso –del cual dan testimonio las fastuosas casas de El Vedado–, además de muy desigualmente distribuido, revelaría una extraordinaria fragilidad. Ello se puso de manifiesto en 1920, cuando una brusca caída en el precio del azúcar provocó un crac bancario que dio al traste con las instituciones financieras cubanas. Poco después, cuando la producción azucarera del país alcanzaba los 5 millones de toneladas, se hizo evidente la saturación de los mercados, claro indicio de que la economía cubana no podía continuar creciendo sobre la base exclusiva del azúcar. La opción era el estancamiento o la diversificación productiva, pero esta última alternativa no era posible, pues no lo permitían la monopolización latifundiaria de la tierra y la dependencia comercial de Estados Unidos.

El ascenso de Gerardo Machado[7] a la presidencia en 1925 representa la alternativa de la oligarquía frente a la crisis latente. El nuevo régimen intenta conciliar en su programa económico los intereses de los distintos sectores de la burguesía y el capital norte-americano, ofrece garantías de estabilidad a las capas  medias y nuevos empleos a las clases populares, todo ello combinado con una selectiva pero feroz represión contra adversarios políticos y movimientos opositores.

---

[7] General Gerardo Machado Morales, presidente de la república entre 1925 y 1933.

Bajo una aureola de eficiencia administrativa, el gobierno intentó poner coto a las pugnas de los partidos tradicionales, asegurándoles el disfrute del presupuesto estatal mediante la fórmula del cooperativismo. Con el consenso que logró, Machado decidió reformar la constitución para perpetuarse en el poder.

No obstante los éxitos parciales alcanzados durante los primeros años de mandato, la dictadura machadista no consiguió acallar la disidencia de los políticos excluidos, y mucho menos aplastar el movimiento popular. Acosadas por los excesos cometidos por el régimen y el rápido deterioro de la situación económica bajo los efectos de la crisis mundial de 1929, estas fuerzas mostraron creciente beligerancia. Con los estudiantes y el proletariado como soportes fundamentales, la oposición a Machado desencadenó una interminable sucesión de huelgas, intentos insurreccionales, atentados y sabotajes.

La dictadura respondió con un aumento de la represión, que llegó a niveles intolerables. En 1933, el tambaleante régimen de Machado estaba a punto de dar paso a una revolución.

Alarmada por la situación cubana, la recién estrenada administración de Franklin D. Roosevelt designó embajador en La Habana a B. Summer Welles, con la misión de encontrar una salida a la crisis dentro de los mecanismos tradicionales de dominación neocolonial. Pero la mediación de Welles se vio sobrepasada por los acontecimientos: el 12 de agosto Machado huía del país, derrocado por una huelga general.

El gobierno provisional que crearon los sectores derechistas de la oposición bajo los auspicios del embajador norteamericano sobreviviría apenas un mes. Un levantamiento de las clases y soldados del ejército junto con el Directorio Estudiantil Universitario y otros grupos insurreccionales llevó al poder un gobierno revolucionario presidido por Ramón Grau San Martín.

Este gobierno, principalmente por iniciativa de Antonio Guiteras,[8] Secretario de Gobernación, aprobó y puso en práctica diversas medidas de beneficio popular, pero, hostilizado por Estados Unidos y por la oposición y  víctima en gran medida de sus propias contradicciones internas, solo pudo sostenerse unos meses en el poder. Factor fundamental en la caída de este gobierno sería el ex sargento Fulgencio Batista –devenido de la noche a la mañana coronel jefe del ejército–, quien ejerció su influencia negativa en el proceso político.

Los partidos oligárquicos restaurados en el poder, a pesar del irrestricto apoyo norteamericano expresado en la abrogación de la

<hr />

[8] Antonio Guiteras Holmes (1906-1935). Uno de los líderes de la lucha revolucionaria y antiimperialista durante la década del 30, fue asesinado por la dictadura Mendieta-Caffery-Batista el 8 de mayo en El Morrillo, Matanzas, cuando se disponía a salir del país para preparar una expedición contra ese gobierno.

Enmienda Platt y las medidas de estabilización económica –principalmente el sistema de cuotas azucareras y un nuevo tratado de reciprocidad comercial–, mostraron una franca ineptitud en el ejercicio del gobierno.

Por esta razón, los destinos del Estado serían efectivamente regidos por Batista y sus militares. Pero esta forma autoritaria se reveló incapaz de ofrecer una salida estable a la situación cubana. Ello condujo a una transacción con las fuerzas revolucionarias y democráticas –debilitadas por divisiones internas– que serían plasmadas en la Constitución de 1940. Con esta nueva Carta Magna, que recogía importantes reivindicaciones populares, se abrió un nuevo período de legalidad institucional.

El primer gobierno de esta etapa estuvo presidido por Fulgencio Batista, cuya candidatura había sido respaldada por una coalición de fuerzas en la que participaban los comunistas. Esta alianza, aunque reportó importantes conquistas al movimiento obrero, no fue comprendida por otros sectores populares, y se convirtió en factor histórico de división entre las fuerzas revolucionarias.

Durante el gobierno de Batista, la situación económica experimentó una mejoría propiciada por el estallido de la Segunda Guerra Mundial, coyuntura que beneficiaría aún más al sucesor Ramón Grau San Martín, quien resultó electo en 1944 gracias al amplio res-paldo popular que le granjearon las medidas nacionalistas y democráticas dictadas durante su anterior gobierno.

Ni Grau, ni Carlos Prío Socarrás (1948-1952) –ambos líderes del Partido Revolucionario Cubano (auténtico)– fueron capaces de aprovechar las favorables condiciones económicas de sus respectivos mandatos.

Las tímidas y escasas medidas reformistas apenas afectaron las estructuras de propiedad agraria y de dependencia comercial que bloqueaban el desarrollo del país. Sí se valieron, en cambio, de la bonanza económica que reportaba la recuperación azucarera para llevar el saqueo de los fondos públicos a magnitudes sin precedentes. La corrupción administrativa se complementaba con el auspicio de numerosas bandas gansteriles, que los auténticos utilizaron para expulsar a los comunistas de la dirección de los sindicatos en medio de la propicia atmósfera de la guerra fría. El repudio a la bochornosa situación imperante fue canalizado por el movimiento cívico político de la ortodoxia, cuyo carismático líder, Eduardo Chibás, se suicidaría en 1951 en medio de una encendida polémica con personeros gubernamentales.

Aunque todo auguraba el triunfo ortodoxo en las elecciones de 1952, las esperanzas se verían frustradas por un golpe militar. El descrédito en que la experiencia auténtica había sumido a las fórmulas reformistas y las instituciones republicanas, así como la favorable disposición hacia un gobierno de "mano dura" por parte de los intereses norteamericanos y algunos sectores de la burguesía criolla, favorecieron las ambiciones de Fulgencio Batista, quien a la cabeza de una asonada militar, asaltó el poder el 10 de marzo de 1952.

## Movimiento revolucionario 1953-1958

La inercia e incapacidad de los partidos políticos burgueses para enfrentar al régimen castrense –al cual se adhirieron algunos de estos partidos– contrastó con la beligerancia de los sectores populares, en especial de la joven generación que recién nacía a la vida política.

De sus filas surgió un movimiento de nuevo tipo, encabezado por Fidel Castro (Birán, 1926), un joven abogado cuyas primeras actividades políticas se habían desarrollado en el medio universitario y las filas de la ortodoxia. Preconizando una nueva estrategia de lucha armada contra la dictadura, Fidel Castro se dio a la silenciosa y tenaz preparación de esa batalla.

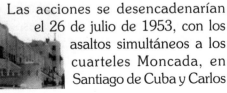

Las acciones se desencadenarían el 26 de julio de 1953, con los asaltos simultáneos a los cuarteles Moncada, en Santiago de Cuba y Carlos

Manuel de Céspedes, en Bayamo, concebidos como detonantes de una vasta insurrección popular.

Al fracasar la operación, decenas de asaltantes que cayeron prisioneros fueron asesinados. Otros sobrevivientes, entre los que se encontraba Fidel Castro, fueron juzgados y condenados a severas penas de prisión. En el juicio que se les siguió, el joven líder revolucionario pronunció un brillante alegato de autodefensa –conocido como "La Historia me absolverá"–, en el cual fundamentaba el derecho del pueblo a la rebelión contra la tiranía y explicaba las causas, vías y objetivos de la lucha emprendida. Este alegato se convirtió en el programa de la Revolución.

Entretanto, la dictadura enfrentaba la crítica coyuntura creada por el descenso de los precios del azúcar con la manida fórmula de la restricción productiva. Para contrarrestar sus efectos depresivos, el gobierno inicia una movilización compulsiva de recursos financieros que, en proporción apreciable, terminarían en las arcas de los personeros del régimen. No obstante el fomento de nuevos renglones productivos en las dos décadas precedentes –la economía cubana– uncida al azúcar, no alcanzaba un crecimiento satisfactorio. Evidencia máxima de ello fue la masa de desempleados y subempleados que ya, a mediados de la década de 1950, llegaría a constituir la tercera parte de la fuerza laboral del país.

El intento de la tiranía por legalizar su estatus

mediante unas espurias elecciones en 1954, serviría al menos para aplacar su saña represiva. La circunstancia fue aprovechada por el movimiento de masas que en 1955 ascendió de manera significativa y logró la amnistía de los presos políticos –entre ellos los combatientes del Moncada– y escenificó huelgas obreras de gran importancia, sobre todo en el sector azucarero. En ese mismo año se funda el Movimiento Revolucionario 26 de Julio, constituido por Fidel Castro y sus compañeros, y un año más tarde se crea el Directorio Revolucionario, que agrupa a los elementos más combativos del estudiantado universitario.

El saqueo del erario de la nación, la corrupción en todos los sectores de la administración pública y una represión que no respetaba ningún derecho ciudadano, de un régimen que se sostenía por la fuerza de las armas, constituyeron elementos para que un grupo de oficiales de carrera, con una hoja limpia en el servicio, comenzaran a conspirar para cambiar la situación imperante. Según expresara uno de los complotados, durante el juicio que se les siguió, tenían como objetivos: "restablecer las instituciones democráticas, entregar el poder a un grupo de cubanos idóneos y convocar a elecciones." Entre ellos se destacaban el comandante Enrique Borbonet, el Coronel Ramón Barquín y el Primer Teniente José Ramón Fernández. La conspiración, bautizada por la voz popular como la de Los Puros, fue abortada el 4 de abril de 1956.

En la primera quincena de abril de 1956 Fidel Castro envío un artículo a la revista *Bohemia* que no fue publicado, alguno de cuyos párrafos reproducimos aquí.

[...]Las palabras del Comandante Borbonet: "Nuestros planes eran en defensa de la Patria y del ejército. Queríamos evitar para siempre las pandillas de turno que asaltan el poder. Queríamos que el pueblo viera a los militares como hermanos y no como enemigos al servicio personal de los gobernantes de turno", son quizás las palabras más inteligentes, más hermosas y más viriles que han pronunciado los labios de un militar cubano desde que terminó la contienda de la independencia. No se puede menos que creer en la absoluta sinceridad de un hombre que tan dignamente habló ante un Consejo de Guerra Sumarísimo. No conspiraron contra la Constitución, ni contra un régimen que fuese producto de la voluntad popular, ni intentaron un golpe a ochenta días de unas elecciones generales; todo lo contrario, querían la plena vigencia de nuestra carta magna, el restablecimiento de la soberanía popular y elecciones generales inmediatas, sin Batista, como quiere el pueblo[...]

Otro hecho que preocupó al régimen batistiano fue el asalto al cuartel "Domingo Goicuría" el 29 de abril de 1956. Al mediodía unos 50 hombres atacan e intentan ocupar el cuartel "Goicuría". La inmensa mayoría de los combatientes eran militantes de la organización auténtica (OA) y estaban dirigidos por Reinold García. La acción resultó un fracaso rotundo porque eran esperados, la prueba está en el saldo de la acción: 17 asaltantes muertos sin ningún herido, mientras el ejército no tuvo bajas. El asalto a este cuartel, sede del Regimiento No. 4 de la Guardia Rural, en Matanzas, constituyó un elemento que estimuló a los órganos de inteligencia y represión actuar con más energía y, en particular, a desarticular, neutralizar y no subestimar a los grupos de conspiradores pertenecientes a los auténticos.

Tras demostrar la imposibilidad de toda lucha legal contra la tiranía, Fidel Castro marcha hacia México con el propósito de organizar una expedición liberadora e iniciar la guerra revolucionaria. Por su parte, los partidos burgueses de la oposición ensayan una nueva maniobra conciliadora con Batista en busca de una salida "política" a la situación. El fracaso terminaría por hundirlos en el desprestigio.

El 2 de diciembre de 1956, Fidel Castro desembarcaba al frente de la expedición del yate *Granma*[9] en las Coloradas, provincia de Oriente.

Dos días antes, los combatientes clandestinos del Movimiento 26 de Julio al

---

[9]  El desembarco de los expedicionarios del yate *Granma* dio inicio a la lucha guerrillera en las montañas el 2 de diciembre de 1956.

mando de Frank País habían llevado a cabo, en Santiago de Cuba, un levantamiento de apoyo al desembarco.

Al no coincidir ambas acciones, el levantamiento terminaba en un fracaso. Tras el revés del lugar llamado Alegría de Pío, que dispersara al contingente expedicionario, Fidel Castro y un puñado de combatientes lograban ganar el firme de la Sierra Maestra para constituir el núcleo inicial del Ejército Rebelde. Su carta de presentación sería, un mes después, la toma del pequeño cuartel de La Plata, acción que serviría para desmentir las versiones propaladas por la dictadura acerca del total exterminio de los expedicionarios.

En 1957, mientras el Ejército Rebelde se gestaba en las montañas con una serie de acciones –entre las más importantes se encuentra el combate de El Uvero–, en las ciudades se desarrollaba con gran ímpetu la lucha clandestina. El 13 de marzo de ese año, un destacamento del Directorio Revolucionario realiza un ataque al Palacio Presidencial en La Habana, con el propósito de ajusticiar al tirano, pero fracasan.

En esta acción caería en combate José Antonio Echeverría, presidente de la Federación Estudiantil Universitaria. A los atentados y actos de sabotaje, la tiranía respondería con un incremento de las torturas a los  detenidos y una oleada de crímenes. En el mes de julio, el asesinato de Frank País provocaría una huelga espontánea que paralizó gran parte de la nación. Poco después, en septiembre, el alzamiento del puesto naval de la ciudad de Cienfuegos pondría en evidencia las profundas grietas en las fuerzas armadas del batistato. A finales de año, el ejército fracasa en su ofensiva contra los rebeldes en la Sierra Maestra, donde ya se han consolidado dos columnas guerrilleras.

A principios de 1958, el movimiento revolucionario decide acelerar la caída del tirano mediante una huelga general con características de insurrección.

En la Sierra Maestra, Fidel Castro crea dos nuevas columnas al mando de los comandantes Raúl Castro y Juan Almeida, respectivamente, quienes deben abrir dos frentes guerrilleros en otras zonas montañosas de Oriente. La huelga convocada el 9 de abril se malogra con graves pérdidas para las fuerzas revolucionarias. Batista cree llegado el momento de liquidar la insurrección, y en el verano lanza una ofensiva de 10 000 hombres sobre la Sierra Maestra.

En feroces combates y batallas –Santo Domingo, El Jigüe, Vegas de Jibacoa y otros–, las tropas rebeldes derrotan a los batallones de la tiranía que logran penetrar en la Sierra y los obliga a retirarse.

Ese es el viraje definitivo. Los partidos de la oposición burguesa, que hasta entonces han maniobrado para capitalizar la rebeldía popular, se apresuran en reconocer el indiscutible liderazgo de Fidel Castro.

Columnas rebeldes parten hacia diversos

puntos del territorio nacional, entre ellas las de los comandantes Ernesto Che Guevara y Camilo Cienfuegos, quienes avanzan hacia la pro-  vincia de Las Villas. En esa zona ya operan diversos grupos de combatientes, entre otros los del Directorio Revolucionario y el Partido Socialista Popular (Comunista). El 20 de noviembre, el Comandante en Jefe de las tropas rebeldes, Fidel Castro, dirige personalmente la batalla de Guisa que marca el comienzo de la definitiva ofensiva revolucionaria.

En acciones coordinadas, las ya numerosas columnas del II y III frente oriental van tomando las poblaciones aledañas para cerrar el cerco sobre Santiago de Cuba. Che Guevara, en Las Villas, toma uno tras otro los pueblos a lo largo de la carretera central y asalta la ciudad de Santa Clara, capital provincial, mientras que, por su parte, Camilo Cienfuegos rinde en tenaz combate el cuartel de la ciudad de Yaguajay.

El 1° de enero de 1959, Batista abandona el país. En una maniobra de última hora, bendecida por la embajada norteamericana, el general Eulogio Cantillo intenta crear una junta cívico-militar. Fidel Castro conmina a la guarnición de Santiago de Cuba a que se rinda y al pueblo a una huelga general que, apoyada masivamente por todo el país, aseguraría la victoria de la Revolución.

## Sus primeros años

Apenas instalado en el poder, el gobierno revolucionario inició el desmantelamiento del sistema político neocolonial. Se disolvieron los cuerpos represivos y se garantizó a los ciudadanos, por primera vez en largos años, el ejercicio pleno de sus derechos. La administración pública fue saneada y se confiscaron los bienes malversados. De esta manera se erradicó esa tan funesta práctica de la vida republicana. Los criminales de guerra batistianos fueron juzgados y sancionados, se barrió a la corrompida dirección del movimiento obrero y se disolvieron los partidos políticos que habían servido a la tiranía.

La designación de Fidel Castro como Primer Ministro en el mes de febrero, imprimiría un ritmo acelerado a las medidas de beneficio popular. Se aprobó una rebaja general de alquileres; las playas antes privadas se pusieron a disposición del pueblo para su disfrute y se intervinieron las compañías que monopolizaban los servicios públicos.

Un hito trascendental en este proceso sería la Ley de Reforma Agraria[10], aprobada el 17 de mayo, la cual eliminaba el latifundio al nacionalizar todas las propiedades de más de 420 hectáreas de

extensión y entregaba la propiedad de la tierra a decenas de miles de campesinos, arrendatarios y precaristas.

Esta medida, que eliminaba uno de los soportes fundamentales del dominio neocolonial, suscitó la airada respuesta de los intereses afectados. El gobierno de Estados Unidos no había ocultado su disgusto por el triunfo de la Revolución y, tras promover una malintencionada campaña de prensa, adoptó una política de hostigamiento sistemático contra Cuba, alentando y apoyando a movimientos contrarrevolucionarios con el propósito de desestabilizar el país.

Los obstáculos interpuestos por el presidente Manuel Urrutia a las transformaciones revolucionarias provocaron, en julio, la renuncia de Fidel Castro al cargo, al que retornaría días después en medio de multitudinarias manifestaciones de apoyo que determinaron la renuncia del presidente y su sustitución por Osvaldo Dorticós. En octubre aborta una sedición militar en Camagüey orquestada por

---

[10] El programa del Moncada comenzaba a cumplirse: los campesinos son dueños de sus tierras.

el jefe de esa plaza, el comandante Hubert Matos, en abierto contubernio con latifundistas y otros elementos contrarrevolucionarios de la localidad. Entretanto, los crecientes actos de sabotaje y el terrorismo comenzaron a cobrar víctimas inocentes.

Para enfrentar la oleada contrarrevolucionaria, se crean las Milicias Nacionales Revolucionarias y los Comités de Defensa de la Revolución, organizaciones que, junto a la Federación de Mujeres Cubanas, la Asociación de Jóvenes Rebeldes y otras constituidas con posterioridad, posibilitaron una participación más amplia del pueblo en defensa de la Revolución. La permanente hostilidad norteamericana se materializa en sucesivas medidas encaminadas a desestabilizar la economía cubana y aislar el país del resto de la comunidad internacional. A ello la Revolución responde con una dinámica política exterior que amplía las relaciones y establece convenios con otros países –incluidos los socialistas– en una prueba de su firme decisión de romper la tradicional dependencia comercial. El 4 de marzo de 1960, el vapor *La Coubre,* con una carga de granadas para

 fusiles FAL, de fabricación belga, estalla en un muelle de La Habana. La explosión ocasionó un número indeterminado de desaparecidos, se encontraron los restos de 101 personas y hubo más de 200 heridos. El gobierno de Estados

Unidos había presionado a las autoridades belgas a fin de evitar los embarques de armas hacia la Isla, y desde enero de ese año, una fuerza de tarea de la CIA había desatado una guerra encubierta contra la Revolución Cubana. En julio de 1960, tras conocer la supresión de la cuota azucarera cubana por el gobierno de Washington, Fidel Castro anuncia la nacionalización de todas las propiedades norteamericanas en la Isla. A esta medida seguiría, pocos meses después, la decisión de nacionalizar las empresas de la burguesía cubana que, definitivamente alineada junto a Estados Unidos y los sectores oligárquicos, se había entregado a sistemáticas maniobras de descapitalización y sabotaje económico.

Pero las agresiones norteamericanas no se limitaron al terreno de la economía, mientras fomentaba la creación de organizaciones y bandas contrarrevolucionarias de alzados en distintas regiones del país, a las que suministraba armamento y otros abastecimientos, la administración Eisenhower –que rompe relaciones con Cuba en enero de 1961– había iniciado la preparación de una brigada mercenaria con el propósito de invadir la Isla.

La invasión se iniciaría el 17 de abril por la zona de Playa Girón,[11] tras un

---

[11] Girón, primera gran derrota del imperialismo en América.

bombardeo sorpresivo a las bases aéreas cubanas. En el sepelio de las víctimas de este ataque, Fidel Castro proclamó el carácter socialista de la Revolución, algo que se percibía ya a partir de las medidas tomadas en los meses finales de 1960.

Bastaron menos de 72 horas para que el pueblo aplastase a la brigada mercenaria que la Agencia Central de Inteligencia (CIA) había tardado meses en adiestrar. Pese a esta histórica derrota, Estados Unidos no cejó en su propósito de aplastar a la Revolución Cubana.

Mediante el Plan Mangosta se dispuso una sucesión de operaciones de agresión que no descartaban la intervención militar directa.

Ello conduciría a una grave crisis internacional en el mes de octubre de 1962, al conocerse la instalación de cohetes soviéticos en la Isla. Los compromisos mediante los cuales se dio solución a la crisis, no pusieron fin a las prácticas de agresión del imperialismo.

Asimismo, la acción decidida de nuestro pueblo, organizado en las Milicias Nacionales Revolucionarias y también en las Fuerzas Armadas, enfrentó a las bandas armadas contrarrevolucionarias. El bandidaje se liquidó definitivamente en 1965, cuando la última banda organizada que actuó en el país, la de Juan Alberto Martínez Andrades, fue capturada el 4 de julio. Otros bandidos dispersos que trataban de huir de la justicia revolucionaria fueron capturados durante los meses siguientes. Así llegó a su fin la guerra sucia impuesta al pueblo cubano por el imperialismo y las clases reaccionarias, enfrentamiento armado que se extendió durante casi seis años y afectó a todas las provincias del país.

En esta guerra sucia impuesta por Estados Unidos, entre 1959 y 1965, actuaron en todo el territorio nacional 299 bandas con un total de 3 995 efectivos. Entre los combatientes de las tropas regulares y milicianas que participaron en las operaciones, más las víctimas de los crímenes de los bandidos, perdieron la vida 549 personas y muchas otras quedaron incapacitadas. El país tuvo que gastar alrededor de 1000 millones de pesos en esos difíciles años para la economía nacional.

La combinación de las acciones militares con las de carácter político e ideológico desempeñaron un papel decisivo en la victoria sobre los bandidos. La derrota del bandidismo en Cuba demostró la imposibilidad de obtener la victoria en una guerra de guerrillas contra un pueblo armado cuando este protagoniza una Revolución.

En el ámbito internacional, Estados Unidos conseguía separar a Cuba de la Organización de Estados Americanos (OEA) y la mayor parte de las naciones latinoamericanas, salvo la honrosa excepción de México, rompieran relaciones con Cuba. No obstante, la Revolución Cubana fortalecía sus vínculos con el campo socialista y los países del Tercer Mundo, participa en la constitución del Movimiento de Países No Alineados y desarrolla una activa política de solidaridad hacia los movimientos de liberación nacional y de apoyo a los mismos.

La nación que resistiera decididamente todo tipo de agresiones armadas debía sobrevivir también al férreo cerco económico. Estados Unidos había suprimido todo comercio con la Isla y se esforzaba por sumar a otros estados a tan criminal bloqueo. Cuba se veía así privada de suministros vitales para su agricultura y su industria. Pero la activa solidaridad de la Unión Soviética y otros países socialistas, unida al tenaz esfuerzo laboral y la inventiva del pueblo, posibilitaron que la economía nacional no solo se mantuviera funcionando, sino que también creciese.

En medio de notables dificultades económicas, se logró eliminar el desempleo y garantizar a la población la satisfacción de sus necesidades fundamentales.

Una vasta campaña de alfabetización en 1961,[12] suprimía la vieja lacra del analfabetismo. Cien mil jóvenes, entre 12 y 18 años, se movilizaron voluntariamente y llegaron hasta los rincones más apartados del país para enseñar a leer y escribir a más de un millón de analfabetos.

Pese al éxodo de profesionales y técnicos alentado desde Estados Unidos, particularmen-

---

[12] El 22 de diciembre de 1961 Cuba se declaró Territorio Libre de Analfabetismo.

te sensible en el área de la salud, la creación de un servicio médico rural permitía llevar la asistencia médica a los más apartados rincones del país.

El sistema educacional alcanza también por primera vez una completa cobertura nacional y un extenso programa de becas pone la educación media y superior al alcance de toda la población.

La calidad de vida se vio enriquecida gracias a una amplia labor de difusión cultural, que se materializó en ediciones regulares –y generalmente masivas– de obras literarias, la creación y sustento de múltiples conjuntos artísticos, la promoción del movimiento de aficionados, y una amplia producción y exhibición cinematográfica. En el mismo sentido influye la generalización de la práctica de deportes, la cual sustentaría una creciente y destacada participación de deportistas cubanos en lides deportivas internacionales.

Tan considerable esfuerzo popular no hubiera podido materializarse sin una apropiada conducción política. Desde el primer año de la Revolución, en las bases y direcciones de las organizaciones revolucionarias comienza una integración que no estaría exenta de dificultades. En marzo de 1962 se comienza la construcción de lo que sería el Partido Unido de la Revolución Socialista. Este adopta como fundamento la selección de su militancia sobre la base de la ejemplaridad de trabajadores elegidos en el seno de sus colectivos laborales. Un hito decisivo en la materialización de la unidad será la constitución del Comité Central del Partido Comunista de Cuba en 1965, como máxima instancia de dirección de la Revolución.

INSTITUCIONALIZACIÓN DEL PAÍS. GUERRA DE TODO EL PUEBLO

A partir de 1971, se revitalizan las organizaciones revolucionarias y se inicia la institucionalización del país. Como culminación de una profunda reorganización, el Partido Comunista de Cuba celebra su primer congreso, después de haber sometido sus principales documentos a una amplia discusión popular. El 24 de febrero de 1976 se proclama una nueva Constitución, aprobada en plebiscito por el voto secreto y directo del 95,7 por ciento de la población mayor de 18 años. Se crean las distintas instancias del Poder Popular, mediante un proceso que tiene como base la elección de los delegados de circunscripción, entre los diversos candidatos propuestos por los ciudadanos en reuniones populares según la zona de residencia.

Durante estos años se verifica también un afianzamiento de la posición internacional de Cuba. El restablecimiento de relaciones diplomáticas con Perú, Panamá, Chile y otros países latinoamericanos, rompe el cerco tendido por Estados Unidos en la década anterior. Tras la firma de convenios comerciales con la Unión Soviética –cuyos favorables términos de intercambio se alejaban de las desiguales prácticas del mercado internacional– Cuba ingresa en el Consejo de Ayuda Mutua Económica (CAME).

En 1976, tropas cubanas enviadas a África a solicitud del gobierno de Angola, contribuyen a liberar a ese país de la intervención sudafricana. Poco después otro contingente cubano participará en la defensa de Etiopía ante la agresión somalí.

Ese mismo año, el 6 de octubre de 1976, una aeronave de Cubana de Aviación con 73 personas a bordo cayó al mar frente a las costas de Barbados, víctima de un aten    organizado por los terroristas Luis Posada C      y Orlando Bosch Ávila. No hubo sobrevi.

 Los 73 murieron, 57 cubanos, 11 guyaneses y 5 norcoreanos. Entre los muertos, el equipo juvenil de esgrima de Cuba que horas antes había ganado el Campeonato Centroamericano en Caracas.

Aquel miércoles el vuelo partió de Georgetown y a las 11:03 arribó a Puerto España donde los victimarios aguardaban su presa con sendas cargas del explosivo C-4 camufladas en un tubo de pasta dental y en una cámara fotográfica.

Alrededor de una hora después, el CU-455 despegó con rumbo a Barbados. Hernán

Ricardo viajaba con un pasaporte falso a nombre de José Vázquez García y Freddy Lugo lo hacía con el suyo. Ambos se ubicaron en la sección central de la cabina de pasajeros donde colocaron una de las cargas y la otra en el baño trasero.

Al llegar a Bridgetown se hospedaron en un hotel desde donde llamaron a Caracas para informar a Posada y a Bosch los resultados de la operación. Poco antes de la medianoche abordaron un vuelo de la aerolínea BWIA para regresar a Puerto España donde fueron arrestados.

Una semana después, las autoridades venezolanas detuvieron a Posada y Bosch en Caracas, donde los cuatro fueron sometidos a un prolongado y tortuoso proceso judicial en el cual Ricardo y Lugo recibieron sentencias de 20 años de prisión el 8 de agosto de 1985.

Bosch fue absuelto y puesto en libertad en 1987 a pesar de las evidencias en su contra y con la complicidad de la mafia cubanoamericana y figuras de la ultraderecha política estadounidense se radicó en Miami.

En 1990 el entonces presidente George Bush padre, eximió a Bosch de todos los cargos relacionados con el sistema judicial de Estados Unidos y de hecho autorizó su permanencia en ese país, a pesar de su abultado expediente de acciones terroristas dentro y fuera del territorio norteamericano.

Posada escapó de una prisión venezolana el 18 de agosto de 1985 con el apoyo de la Fundación Nacional Cubano-Americana (FNCA) antes del veredicto judicial y reapareció poco después en El Salvador al servicio del gobierno de Estados Unidos en el tráfico de drogas para el suministro de armas a la contra nicaragüense.

Tras un breve lapso de distensión durante los primeros años del gobierno del presidente James Carter, las relaciones cubano-norteamericanas se deterioran con el incremento de la agresividad de la política estadounidense al final de la referida administración.

Con la ascensión a la presidencia de Estados Unidos de Ronald Reagan, las acciones contra la Revolución se incrementaron al máximo. El gobierno estadounidense crea las mal llamadas radio Martí y TV Martí, intensifica el espionaje contra la Isla, realiza maniobras militares, ensaya ataques aéreos y trata de sancionar a Cuba en la Comisión de Derechos Humanos de la ONU. Se puso sobre el tapete la posibilidad de una agresión directa.

Cuba responde con el perfeccionamiento del sistema defensivo del país y elabora la doctrina de la "Guerra de Todo el Pueblo".

Su esencia radica en que cada cubano tenga un lugar, una forma y un medio en la lucha contra la posible agresión imperialista. La preparación del pueblo en las Milicias de Tropas Territoriales, las Brigadas de Producción y Defensa y las Zonas de Defensa frenaron las intenciones imperialistas de una agresión directa.

Con la Revolución, Cuba, además de obtener su verdadera independencia y rescatar su dignidad nacional, eliminó toda forma de explotación y erradicó la discriminación racial y la de la mujer. A esto deben añadirse los logros sociales y los significativos avances económicos alcanzados en el país.

El período de 1980 a 1985 se caracterizó por avances y logros significativos en el desarrollo económico y social, a pesar del incremento sistemático de la agresividad imperialista y de fenómenos climatológicos adversos. Sin embargo, a partir de 1985, comienzan a hacerse evidentes ciertas deficiencias y tendencias negativas relacionadas fundamentalmente con la aplicación del sistema de dirección y planificación.

En abril de 1986, el Presidente de los Consejos de Estado y de Ministros, Fidel Castro, planteó la necesidad de iniciar un proceso de rectificación de errores y tendencias negativas que diera solución a los problemas que frenaban y deformaban los principios vitales y originales de la Revolución Cubana, tales como la constante participación popular en las decisiones y tareas, la unidad entre el desarrollo económico y social, la creación del hombre nuevo del cual habló el Che, el rescate de valores históricos, principalmente el pensamiento martiano y una aplicación más creadora del marxismo-leninismo. No obstante las deficiencias e insuficiencias y la necesidad de perfeccionar el trabajo de construcción socialista, el pueblo cubano había alcanzado conquistas realmente impresionantes.

En la salud se creó un sistema integral que va desde el médico de la familia y los policlínicos hasta hospitales especializados y centros de investigación. Así, la asistencia médica gratuita forma una red que cubre la atención a toda la población desde el círculo infantil, la escuela y el centro de trabajo hasta el hogar.

En la educación, nuestro país muestra el mayor índice de alfabetización en América Latina, con nueve grados como promedio de escolaridad. No existe un solo niño sin escuela.

Año tras año ha crecido la cifra de profesores, investigadores, maestros, médicos y demás profesionales universitarios.

En lo que respecta al deporte, Cuba se ubicó entre los diez primeros países del mundo.

Comentario aparte merece el desarrollo científico-técnico devenido factor vital para la supervivencia de la patria y la Revolución.

Se fundaron instituciones como el Centro de Ingeniería Genética y Biotecnología, el Centro Nacional de Investigaciones Científicas, el cardiocentro de cirugía infantil William Soler (mayor del mundo), el Centro de Inmunoensayo y el Centro de Trasplantes y Regeneración del Sistema Nervioso.

Expresión de este desarrollo es la creación de un equipo de resonancia magnética del sistema Evalimage para la visualización y análisis termográfico de imágenes y el bisturí láser cubano. En Cuba se realizan trasplantes de riñón, hígado, corazón y corazón-pulmón. Además se han efectuado importantes aportes a la medicina como la vacuna contra la meningitis meningocócica, el interferón alfa leucocitario humano, el descubrimiento de una sustancia que cura el vitiligo y la obtención del factor de crecimiento epidérmico.

## CRISIS ECONÓMICA Y RESISTENCIA POPULAR

Inmersa en el desarrollo y perfeccionamiento de esta obra se encontraba la Revolución cuando se produce el derrumbe del campo socialista y la desintegración de la URSS. Estos hechos se reflejaron dramáticamente en la sociedad cubana, puesto que la economía del país estaba integrada a esa comunidad. Tal integración estaba condicionada aun más por el férreo, cruel e ilegal bloqueo que Estados Unidos mantuvo y mantiene sobre Cuba desde los primeros años de la Revolución, y que por añadidura siempre limitó extraordinariamente la posibilidad de relaciones con el mundo capitalista. En 1989, Cuba concentraba el 85 por ciento de sus relaciones comerciales con la URSS y el resto del campo socialista. En este intercambio se establecieron precios justos que evadían el intercambio desigual, característico de las relaciones con países capitalistas desarrollados. Al propio tiempo, se aseguraba el suministro de tecnologías y la obtención de créditos en términos satisfactorios de plazos e intereses.

Al producirse el derrumbe del socialismo en Europa y la desintegración de la URSS, en un período muy corto, Cuba disminuyó su capacidad de compra de 8 139 millones de pesos en 1989 a 2 000 millones en 1993.

La caída del socialismo en Europa oriental y en la URSS, desencadenó una gran euforia en el gobierno de Estados Unidos y entre los grupos contrarrevolucionarios cubanos en Miami. Se vaticinaba que el desmoronamiento de la Revolución Cubana era cosa de días o de semanas. Llegaron a realizar gestiones políticas para la organización e integración de un nuevo gobierno. Sin embargo, pasaban los meses, se ampliaba la crisis, pero en Cuba no había descomposición.

Hay que decir que desde julio de 1989, el Comandante en Jefe Fidel Castro alertó acerca de la posibilidad de la desaparición del campo socialista e incluso acerca de la desintegración de la URSS, y ya en octubre de 1990, elaboró las directivas para enfrentar el Período Especial en tiempo de paz. Este era un concepto de la doctrina militar de "Guerra de Todo el Pueblo", referido a las medidas para encarar el bloqueo total, golpes aéreos y desgaste sistemático, así como una invasión militar directa.

En 1991, se efectúa el IV Congreso del PCC en el que se analiza la situación y se precisa la necesidad de salvar la Patria, la Revolución y el Socialismo, es decir, la obra que tanta sangre, sacrificio y esfuerzo había costado al pueblo cubano en más de cien años de lucha. En este congreso se tomaron importantes acuerdos relativos de las modificaciones a la Constitución, los estatutos del Partido y se sentaron las bases de la estrategia para resistir y comenzar la recuperación.

En la estrategia trazada se pusieron en práctica una serie de medidas encaminadas a lograr la elevación de la eficiencia económica y la competitividad, el saneamiento financiero interno, soluciones al endeudamiento interno; la reinserción en la economía internacional, incentivar la inversión de capital extranjero, el fortalecimiento de la empresa estatal cubana, condición esta necesaria y sin la cual no puede haber socialismo. También se analizó la necesidad de ampliar y perfeccionar los cambios económicos que fuese necesario hacer, de manera gradual y ordenada.

Como era de suponer, el imperialismo norteamericano y los grupos apátridas de Miami, molestos ante la realidad de la resistencia cubana, incrementaron las acciones para difamar a la Revolución, desestabilizarla y arreciar aún más el bloqueo económico.

Así, a mediados de 1992, el gobierno estadounidense aprueba la Ley Torricelli que, entre otras cosas, otorga al Presidente de Estados Unidos la potestad de aplicar sanciones económicas a países que mantengan relaciones comerciales con Cuba y prohíbe el comercio de subsidiarias de empresas norteamericanas radicadas en terceros países con la Isla. Esa ley constituyó un paso más en el intento de rendir al pueblo cubano por hambre.

Sin embargo, a pesar de la Ley Torricelli, Cuba comienza a expandir su comercio, obtiene algún financiamiento para determinadas actividades económicas y empresas de varias naciones comienzan a realizar inversiones y establecer vínculos económicos con el país.

Por otra parte, en febrero de 1993, año más agudo de la crisis, se realizan elecciones cuyos resultados demuestran fehacientemente el apoyo popular a la Revolución: el 99,7 por ciento de los electores emiten su voto y solo el 7,3 por ciento lo hace en blanco o anula la boleta.

No obstante, la camarilla anticubana de Estados Unidos recurre otra vez al intento de generar la subversión interna, actos terroristas, sabotajes, infiltración de agentes de la CIA, e intensifican la propaganda contra y hacia Cuba. Más de mil horas de radio se dirigen a la Isla. También priorizan la estimulación de las salidas ilegales del país, preferentemente mediante el robo de embarcaciones e incluso de aviones.

Esto último dio lugar, en julio de 1994, al incremento del robo de embarcaciones por parte de personas presionadas fundamentalmente por la situación económica, aunque hubo casos de asesinatos. En estas circunstancias se efectuó el robo del remolcador *13 de marzo,* que fue abordado por más de 60 personas con la idea de viajar hacia Estados Unidos. A pesar de las advertencias sobre el mal estado de la embarcación, iniciaron la fuga perseguidos por otros remolcadores, uno de los cuales chocó con el perseguido y se produjo un accidente. Todas las embarcaciones que llegaron al lugar hicieron grandes esfuerzos de rescate, pero no pudieron impedir que perecieran cerca de 32 personas. De este accidente se hizo una gran campaña en la que se acusaba al gobierno cubano de ordenar el hundimiento de la embarcación.

Ante estos hechos, el gobierno cubano decidió no impedir las salidas ilegales, lo que obligó a la Administración norteamericana a sentarse a la mesa de negociaciones y firmar el 9 de septiembre de 1994 un acuerdo migratorio con Cuba. Después de 36 años, Estados Unidos se vio en la necesidad de tomar medidas que desestimularan las salidas ilegales hacia ese país.

En julio de 1995, de nuevo el pueblo cubano dio una contundente demostración de unidad y apoyo a la Revolución al celebrarse las elecciones para delegados al Poder Popular.

A pesar de la campaña desplegada por la propaganda reaccionaria que orientaba la abstención en los comicios, el 97,1 por ciento de los electores ejercieron el voto, el 7 por ciento de las boletas fueron anuladas y el 4,3 por ciento depositadas en blanco. Es decir, más del 87 por ciento del electorado expresó su actitud de apoyo a la Revolución.

Las frustraciones de la camarilla contrarrevolucionaria del exilio cubano y algunos sectores del gobierno norteamericano, después del espejismo provocado por el derrumbe del campo socialista, volvieron a la carga, ahora con un proyecto propio del hombre de las cavernas: la Ley Helms-Burton.

Esta Ley, prevé un bloqueo económico total, absoluto e internacional. También pretende impedir la inversión extranjera y cortar todo tipo de financiamiento y suministro desde el exterior del país. Establece diversas sanciones a las empresas y empresarios que mantengan relaciones económicas con Cuba. Además legaliza el apoyo de Estados Unidos a los grupos contrarrevolucionarios de la Isla y establece el derecho de ese país a determinar qué tipo de gobierno, de sociedad y de relaciones deberá tener Cuba después de derrocada la Revolución. En fin, pretende rendir por hambre al pueblo cubano y prácticamente anexar el país a Estados Unidos.

Después de aprobada la Ley en el Congreso de Estados Unidos, los grupos de ultraderecha aprovechan el incidente provocado por la organización contrarrevolucionaria de Miami "Hermanos al Rescate" cuando el 24 de febrero de 1996 se derriban dos avionetas que en diversas ocasiones habían violado el espacio aéreo cubano –lo que había provocado varias advertencias al gobierno de Estados Unidos– para presionar a la Administración norteamericana a que firmara la Ley, que entró en vigor en agosto de ese mismo año.

Ella no solo ha concitado el rechazo de todo el pueblo cubano, sino de prácticamente la totalidad de los pueblos y gobiernos del mundo, así como de las organizaciones e instituciones internacionales. Pruebas de ello son, entre otros, las votaciones contra el bloqueo en la ONU, el acuerdo de la OEA en rechazo a la Ley Helms-Burton, las posiciones de México y Canadá, de la Unión Europea y del Grupo de Río.

Cuba, a pesar de los efectos negativos y de la creación de una situación más compleja y difícil que genera dicha Ley, ha continuado la aplicación de su estrategia y paulatinamente, con serenidad y firmeza, logró detener el descenso económico y obtener una reanimación gradual en los años sucesivos.

Por otra parte, se han mantenido los sistemas de salud y educación y la seguridad social. No ha quedado ningún cubano desamparado y en el año de 1997 la tasa de mortalidad infantil por cada mil nacidos vivos fue de 7,3. La expectativa de vida sobrepasa los 75 años.

En enero de 1998 se efectuaron las elecciones de candidatos a diputados a la Asamblea Nacional del Poder Popular y de delegados a las Asambleas Provinciales. El 98,35 por ciento de los electores votaron, el 1,64 por ciento de las boletas fueron anuladas y el 3,36 por ciento fueron depositadas en blanco, lo que arroja un total de 95 por ciento de votos válidos.

El 94,39 por ciento correspondió al voto unido, o sea, a la candidatura propuesta por la Comisión Nacional Electoral.

En ese mismo mes visita a Cuba el Papa

Juan Pablo II. Todo el pueblo –creyentes y no creyentes– dio una masiva demostración de hospitalidad y respeto, tanto en la bienvenida como en las misas que ofreció y en todas sus demás actividades. Así se puso de manifiesto la falsedad de las campañas propagandísticas de los aparatos de divulgación dominados por el imperialismo, pues todo el mundo pudo observar la libertad con que actuó y se expresó Su Santidad en todo momento. En marzo de 2012 el Papa Benedicto XVI también visitó la isla.

Conclusión, todo el accionar imperialista y contrarrevolucionario ignora algo vital en nuestra historia: la capacidad de resistencia de nuestro pueblo, la inteligencia y la habilidad de nuestra dirección revolucionaria y      steza de la lucha de este país por su independ

El 31 de julio de 2006 el líder de la Revolución Cubana Fidel Castro, dio a conocer una proclama al pueblo de Cuba en que hacía entrega temporal de sus responsabilidades por razones de salud. En el proceso electoral cubano posterior a esa fecha por las mismas razones declinó su postulación a integrar el Consejo de Estado. Delegó provisionalmente sus responsabilidades y cargos al General de Ejército Raúl Castro Ruz y a otros altos dirigentes y ratificó su confianza en el pueblo.

El 24 de febrero de 2008, Raúl Castro fue electo Presidente de los Consejos de Estado y de Ministros de Cuba, cargo que ocupa actualmente.

En un discurso pronunciado el 26 de julio de 2008 con motivo del 55 aniversario del asalto a los cuarteles Moncada y Carlos Manuel de Céspedes, el presidente de los Consejos de Estado y de Ministros dio a conocer detalles sobre las experiencias que se estaban llevando a cabo para eliminar despilfarros que costaban a Cuba millones y reorganizaciones que forzosamente debían llevarse a cabo. Tocó temas tan importantes como el reordenamiento del transporte, del suministro de leche fresca, la repartición de tierras ociosas, la recuperación del turismo y la producción de petróleo. Dejó claro que los problemas y tareas fundamentales se seguirían analizando con el pueblo, en particular con los trabajadores, con la misma confianza y claridad de siempre para buscar las mejores soluciones.

En la temporada ciclónica de 2008, tres huracanes azotaron la isla y provocaron cuantiosas pérdidas económicas (más de 9 700 millones de dólares) y más de 500 000 mil viviendas afectadas.

## Nueva Ley de Seguridad Social

El 1 de enero de 2009 entró en vigor una nueva ley de Seguridad Social. La Ley fue sometida en su fase de anteproyecto al conocimiento y discusión de los trabajadores y aprobada en asambleas, todo lo cual reafirma su esencia democrática al convertir en realidad la voluntad del pueblo.

La nueva ley surge ante la marcada disminución de la natalidad en Cuba, una de las condicionantes del envejecimiento iniciado en 1978 con la caída de las tasas de fecundidad. Se aprobó incrementar en 5 años la edad y los años de servicios para ambos sexos, de forma tal que las mujeres se jubilen a los 60 años y los hombres a los 65 años, con 30 años de servicios en los dos casos. El incremento se produce de manera gradual.

También se comprenden nuevos beneficios como la modificación del cálculo de las pensiones, que propicia que la cuantía de la pensión tenga mayor correspondencia con el aporte, el salario y la permanencia laboral, de aquellos trabajadores que se jubilen después de cumplir con la edad de 60 años o más las mujeres y 65 años o más los hombres y 30 años de servicios.

## PROYECTO DE LINEAMIENTOS DE LA POLÍTICA ECONÓMICA Y SOCIAL

Como resultado del trabajo de la Comisión de Política Económica del VI Congreso Partido Comunista de Cuba, se elaboró el "Proyecto de Lineamientos de la Política Económica y Social" discutido con toda la militancia, los trabajadores y la población en general para recoger y tener en cuenta sus opiniones y posteriormente sometido a la aprobación del VI Congreso.

El VI Congreso del Partido Comunista de Cuba se celebró entre el 16 de abril y el 19 de abril del 2011. Este Congreso eligió a Raúl Castro Ruz como Primer Secretario.

## UN TEMA CUBANO DEL QUE NO HABLA LA PRENSA

En septiembre de 1998 cinco cubanos, Gerardo Hernández, Ramón Labañino, Fernando González, Antonio Guerrero y René González, fueron arrestados en Miami por el FBI y ais-

lados en celdas de castigo 17 meses antes que su caso fuera llevado al tribunal. Su misión en Estados Unidos era monitorear las actividades de organizaciones terroristas contra Cuba.

Todos fueron acusados del nebuloso cargo de conspiración contra Estados Unidos. A tres de ellos, Gerardo, Ramón y Antonio, se les adicionó el cargo de conspiración para cometer espionaje. El gobierno estadunidense nunca los acusó de espionaje real, ni afirmó que el mismo hubiese ocurrido. No les fue ocupado ningún documento clasificado.

A pesar de la enérgica objeción por parte de la defensa, el caso se llevó a juicio en Miami, comunidad que alberga a más de medio millón de exiliados cubanos, con una larga historia de hostilidad hacia el Gobierno cubano, entorno que una corte federal de apelaciones de Estados Unidos describiría más tarde como una "tormenta perfecta" de prejuicios, que impidió la realización de un juicio justo.

El juicio duró más de seis meses, el más largo en Estados Unidos hasta ese momento, y en él presentaron testimonios tres generales retirados del ejército, un almirante retirado, el ex asesor del Presidente Clinton para asuntos cubanos quienes coincidieron en que no existía evidencia de espionaje.

Siete meses después de la acusación inicial se adicionó un nuevo cargo a Gerardo Hernández: conspiración para cometer asesinato, como resultado de una intensa campaña pública con la intención de vengar el derribo, por parte de la Fuerza Aérea Cubana, de dos avionetas de un grupo anticastrista y las muertes de sus cuatro ocupantes, hechos que tuvieron lugar en 1996. Las avionetas pertenecían a una organización que en los 20 meses anteriores al derribo había penetrado el espacio aéreo cubano 25 veces, objeto de protestas reiteradas del gobierno de Cuba.

Al final del juicio, cuando el caso estaba a punto de ser presentado al jurado para su consideración, el gobierno reconoció por escrito que había fracasado en probar el cargo de conspiración para cometer asesinato impuesto a Gerardo Hernández, alegando que "a la luz de las pruebas presentadas en el juicio, esto constituye un obstáculo insuperable para Estados Unidos en este caso y probablemente resultará en el fracaso de la acusación en este cargo".

El jurado, no obstante, encontró culpables, tanto a Gerardo como a sus compañeros de todos los cargos después de haber sido puesto bajo una intensa presión por parte de los medios de prensa locales.

Los Cinco fueron sentenciados a condenas que sumaron 4 cadenas perpetuas más 77 años, convirtiéndose tres de ellos en las primeras personas en Estados Unidos en recibir cadena perpetua en casos relacionados con espionaje, en los que no existió evidencia de obtención y transmisión de un solo documento secreto. Fueron confinados a cinco cárceles diferentes de máxima seguridad, lejanas una de otra y sin comunicación alguna entre ellos.

El 9 de agosto de 2005, un panel de tres jueces de la Corte de Apelaciones revocó sus veredictos de culpabilidad al considerar que no tuvieron un juicio justo en Miami. En una acción que como norma solo se ejerce en casos donde estén en juego principios constitucionales, el Gobierno solicitó a los doce jueces de la Corte de Apelaciones revisar la decisión del panel en un procedimiento llamado *en banc*. Un año después, el pleno de la Corte revocó por mayoría la decisión unánime de los tres jueces originales.

El 27 de mayo de 2005, el Grupo de Trabajo de Naciones Unidas sobre Detenciones Arbitrarias, después de estudiar los argumentos presentados tanto por la familia de los Cinco como por el gobierno de Estados Unidos, determinó que su privación de libertad era arbitraria y exhortó a Washington a tomar las medidas necesarias para rectificar esa arbitrariedad.

El 2 de septiembre de 2008 la Corte de Apelaciones de Atlanta ratificó los veredictos de culpabilidad de los Cinco. Ratificó las sentencias de Gerardo Hernández (2 cadenas perpetuas más 15 años) y René González (15 años), y anuló las sentencias de Antonio Guerrero (cadena perpetua más 10 años),

Fernando González (19 años) y Ramón Laba-ñino (cadena perpetua más 18 años), por con-siderarlas incorrectas, enviando nuevamente a la Corte de Distrito de Miami los casos de estos tres últimos para ser re-sentenciados. La Corte en pleno reconoció que no existía evidencia alguna de que hubiera habido obtención ni transmisión de información secreta o de defensa nacional en el caso de los acusados del cargo de conspiración para cometer espionaje.

Meses después Antonio fue resentenciado a 21 años y 10 meses en prisión más 5 años de libertad supervisada, Fernando a 17 años y 9 meses en prisión, y Ramón a 30 años en prisión.

El 15 de junio de 2009 la Corte Suprema de Estados Unidos anunció, sin más explicaciones, su decisión de no revisar el caso de los Cinco a pesar de los sólidos argumentos esgrimidos por la defensa ante las evidentes y múltiples violacio-nes legales cometidas durante todo el proceso.

Desconocieron asimismo el universal res-paldo a esta petición y a los Cinco, expresado en una cifra de 12 documentos de "amigos de la Corte", cantidad que constituye un hecho sin precedentes ya que representa el mayor número de amicus que se haya presentado a la Corte Suprema de Estados Unidos para la revisión de un proceso penal.

Diez Premios Nobel, entre los que figuran el Presidente de Timor Leste, José Ramos Horta, Adolfo Pérez Esquivel, Rigoberta Men-chu, José Saramago, Wole Soyinka, Zhores

Alferov, Nadine Gordimer, Günter Grass, Darío Fo y Mairead Maguire; el Senado de México en pleno; la Asamblea Nacional de Panamá; Mary Robinson, presidenta de Irlanda (1992-97) y Alta Comisionada de Derechos Humanos de Naciones Unidas (1997-2002) y el ex Director General de la UNESCO, Federico Mayor, entre otros, suscribieron los amicus.

Desde el punto de vista jurídico este caso ha concluido ya su curso normal. Ahora los Cinco se encuentran en medio de un procedimiento extraordinario, una apelación colateral, oportunidad que se ofrece por una sola vez a los condenados después que agotaron sin éxito todos sus recursos apelativos.

El 7 de octubre de 2011 René González salió de prisión después de haber cumplido su sentencia de 15 años de prisión, la misma incluía tres años de libertad supervisada, lo que lo obligó a permanecer en territorio norteamericano sin poder regresar a Cuba, donde reside toda su familia.

El 3 de mayo de 2013, la jueza de La Florida Joan Lenard aceptó la solicitud presentada por René González para modificar las condiciones de su libertad supervisada y permanecer en Cuba, a cambio de la renuncia a su ciudadanía estadounidense. De esta manera, dentro del período de los 3 años de libertad supervisada en suelo norteamericano, llegó René González a Cuba en lo que debía ser una visita temporal y privada para asistir al funeral de su padre. Pero, como consecuencia de la aceptación de su petición, René, quien es además ciudadano cubano y cuya esposa, hijas y nieto viven en Cuba, fue instado a presentar en menos de un mes a la Corte o al tribunal norteamericano, un informe de su estado de renuncia y una copia certificada, de cualquier certificado emitido de pérdida de nacionalidad.

A las 2:00 pm del 9 de mayo de 2013, René González recibió en la Oficina de Intereses de Estados Unidos en La Habana el documento que certificaba su renuncia a la ciudadanía estadounidense. En conferencia de prensa posterior a este hecho, el Héroe de la República de Cuba anunció que a partir de ese momento se dedicaría a la lucha por la liberación de Gerardo, Ramón, Fernando y Antonio, sin la cual no puede llegar a sentirse libre.

En octubre de 2010 Amnistía Internacional dio a conocer un Informe sobre el caso en el que concluye: *Si el proceso legal de apelación no proporcionara resarcimiento oportuno, y dada la extensión de las penas de cárcel impuestas y el tiempo ya cumplido por los condenados, Amnistía Internacional apoyaría los llamamientos para que las autoridades ejecutivas estadounidenses revisen el caso a través del procedimiento de indulto u otros medios apropiados.*

## Bandera de la república de Cuba

En 1850 fue enarbolada por primera vez en Cuba la que sería definitivamente su enseña nacional. De una gran sencillez y con perfecta armonía se combinan tres colores: rojo, azul y blanco; para formar la bandera cubana: tres listas azules –los departamentos en que se dividía la Isla por entonces– dos listas blancas –la fuerza del ideal independentista–, un triángulo rojo –representante de la igualdad, la fraternidad y la libertad y a su vez, de la sangre necesaria vertida en las luchas por la independencia– y una estrella blanca, solitaria, –como símbolo de la absoluta libertad entre los demás pueblos– caracterizan su bello diseño.

El escudo nacional representa a nuestra Isla. Tiene forma de adarga ojival y está dividido en tres cuerpos.

En su cuerpo superior horizontal aparece una llave dorada entre dos montañas y un sol naciente en el mar –lo cual simboliza la posición de Cuba en el Golfo entre las dos Américas, en medio del surgimiento de un nuevo Estado–.

Las franjas blancas y azules ejemplifican la posición departamental de la Isla en la época colonial y se encuentran a lo largo del cuerpo izquierdo. En el derecho vertical: un paisaje cubano presidido por la palma real o lo que sería lo mismo, el símbolo del carácter indoblegable del pueblo cubano.

## HIMNO NACIONAL

El Himno Nacional cubano nació en Bayamo en el fragor de la lucha por la independencia. Pedro Figueredo, luego de haber compuesto la melodía en 1867 escribió, con gran sentido independentista, la letra de este himno de lucha cuando las tropas insurrectas tomaron la ciudad en 1868.

Al combate corred, bayameses
que la Patria os contempla orgullosa.
No temáis una muerte gloriosa
que morir por la Patria, es vivir.

En cadenas vivir, es vivir
en afrenta y oprobio sumidos.
Del clarín escuchad el sonido
¡A las armas, valientes, corred!

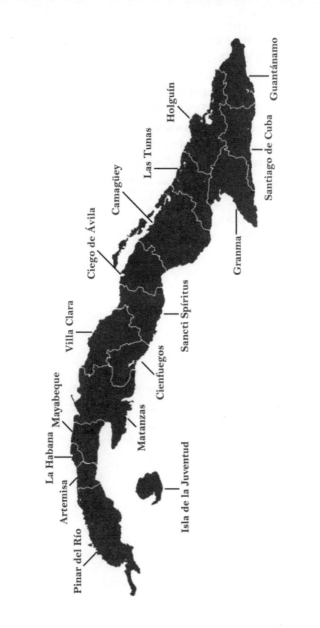

La República de Cuba, es un archipiélago formado por más de 1600 islas, islotes y cayos, siendo la Isla de Cuba la mayor. Ubicada en las Antillas Mayores a la entrada del Golfo de México, en el Mar Caribe.

El archipiélago cubano está formado, además por cuatro grupos insulares que son: Al Norte, 1. Los Colorados, 2. Sabana Camagüey (Jardines del Rey) y al Sur: 3. Jardines de la Reina y 4. Los Canarreos, en el que se encuentra la Isla de la Juventud, segunda en extensión después de la Isla de Cuba.

**Límites geográficos:**
Al norte: Estrecho de la Florida y los canales de San Nicolás  y Viejo de Bahamas.
Al este: Mar Caribe y Estrecho de Colón.
Al sur: Pasos de los Vientos.
Al oeste: Estrecho de Yucatán

**Río de mayor longitud:** Cauto

**Mayor elevación:** Pico Real del Turquino con 1974 metros de altura.

**Población residente:** 11 240 841 habitantes
**Capital:** La Habana

**Idioma oficial:** Español
**Presidente:** Raúl Castro Ruz

**Gobierno:** La Asamblea Nacional del Poder Popular, constituida como tal en 1976, es el Órgano Supremo del Estado y tiene la potestad constituyente y legislativa de la República.

Se encuentra representada por el Consejo de Estado, que es el ente que ejecuta los acuerdos de esta y cumple con las funciones que la constitución le ha atribuido. El Consejo de Ministros es el máximo órgano ejecutivo y administrativo de la República. Según la constitución de 1976, Cuba es un estado socialista. El aparato estatal se encuentra integrado por las instituciones representativas del Poder Popular, por los organismos encargados de la dirección y administración de las diversas actividades y por las organizaciones judiciales y fiscales.

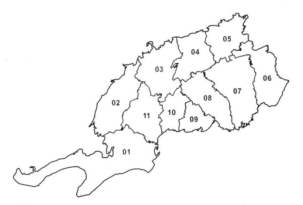

## Municipios

01 Sandino
02 Mantua
03 Minas de Matahambre
04 Viñales
05 La Palma
06 Los Palacios
07 Consolación del Sur
08 Pinar del Río
09 San Luis
10 San Juan y Martínez
11 Guane

**Ubicación geográfica:** En la región occidental, entre los 21°19', 22°56' de latitud norte y los 84°57', 83°05' de longitud oeste.

Ocupa el cuarto lugar en extensión entre las provincias con 8 884,51 kilómetros cuadrados y el octavo en densidad poblacional con 592851 habitantes.

**Límites geográficos:**
Al norte: Golfo de México
Al este: Provincia de Artemisa
Al sur: Mar Caribe
Al oeste: Canal de Yucatán

**Río de mayor longitud:** Cuyaguateje

**Mayor elevación:** Loma de Seboruco con 671 metros de altura.

**Geografía física:**

El relieve se caracteriza por la Cordillera de Guaniguanico, destacándose la Sierra de los Órganos que está enclavada en su totalidad en el territorio, a lo que se suma una pequeña parte de la Sierra del Rosario, donde se encuentra la mayor altura de la provincia. A estas las bordean las Llanuras del Norte y del Sur de Pinar del Río, Guanahacabibes y de Guane-Mantua. Su hidrografía se caracteriza por ríos de poca longitud y caudal, a excepción del Cuyaguateje, Hondo, Ajiconal y San Diego, con longitudes notables; existen un gran número de lagunas en las que se destacan Santa María y El Pesquero. Los embalses principales son Juventud y El Punto. Predominan los suelos hidromórficos en las zonas costeras bajas; en el resto del territorio se combinan los ferralíticos, pardos y los pocos evolucionados.

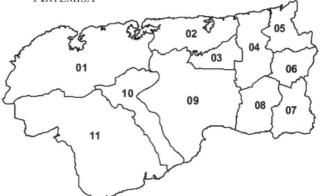

**Municipios**

01 Bahía Honda
02 Mariel
03 Guanajay
04 Caimito
05 Bauta
06 San Antonio de los Baños
07 Güira de Melena
08 Alquizar
09 Artemisa
10 Candelaria
11 San Cristobal

**Ubicación geográfica:** En la región occidental, entre los 22°29', los 23°05' de latitud norte y los 83°25', 82°28' de longitud oeste.

Ocupa el décimo tercer lugar en extensión entre las provincias con 4 004,27 kilómetros cuadrados, representando el 3,64 por ciento de la superficie total del país y el onceno en densidad poblacional con 502 312 habitantes.

**Límites geográficos:**
Al este: Provincias de La Habana y Mayabeque
Al sur: Golfo de Batabanó
Al oeste: Provincia de Pinar del Río
Al norte: Estrecho de la Florida

**Río de mayor longitud**: Los Colorados (Hondo de San Cristóbal)

**Mayor elevación:** Pan de Guajaibón con 692 metros de altura.

**Geografía física:**
Predomina el relieve de llanuras destacándose la Llanura de La Habana-Matanzas. Incluye la parte más occidental de la Llanura Sur Habana-Matanzas, las Alturas de Mariel y la Mesa de Anafe. También se destaca la Sierra del Rosario perteneciente a la Cordillera de Guaniguanico, donde se encuentra el punto culminante de la provincia. Su hidrografía se caracteriza por ríos cortos y de poco caudal, destacándose los ríos Los Colorados y San Juan. Predominan los suelos fersialíticos, pardos, ferralíticos, hidromórficos y húmicos calcimórficos.

## Municipios
01 Playa
02 Plaza de la Revolución
03 Centro Habana
04 La Habana Vieja
05 Regla
06 La Habana del Este
07 Guanabacoa
08 San Miguel del Padrón
09 Diez de Octubre
10 Cerro
11 Marianao
12 La Lisa
13 Boyeros
14 Arroyo Naranjo
15 Cotorro

**Ubicación geográfica**: En la región occidental, entre los 22°58', 23°10' de latitud norte y los 82°30', 82°06' de longitud oeste.

Ocupa el décimo sexto lugar en extensión entre las provincias con 726,75 kilómetros cuadrados representando el 0,7 por ciento de la superficie total del país y el primer lugar en densidad poblacional con 2 141 652 habitantes.

**Límites geográficos:**
Al este: Provincia Mayabeque
Al sur: Provincia Mayabeque y Artemisa
Al oeste: Provincia de Artemisa
Al norte: Estrecho de la Florida

**Río de mayor longitud**: Almendares

**Mayor elevación:** Tetas de Managua con 210 metros de altura.

**Geografía física:**
Su territorio está ocupado por las Llanuras y las Alturas de la Habana-Matanzas. Las costas ocupan todo el límite norte donde se localiza la Bahía de La Habana, al este están sus playas. Su hidrografía está representada por los ríos Almendares, Martin Pérez y Quibú, los embalses Bacuranao y Ejército Rebelde. Predominan los suelos fersialíticos pardos rojizos y ferralíticos rojos, en algunos sectores costeros existen manifestaciones de carso desnudo.

MAYABEQUE

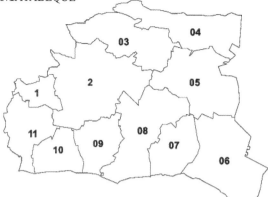

**Municipios**
01 Bejucal
02 San José de las Lajas
03 Jaruco
04 Santa Cruz del Norte
05 Madruga
06 Nueva Paz
07 San Nicolás
08 Güines
09 Melena del Sur
10 Batabanó
11 Quivicán

**Ubicación geográfica:** región occidental, entre 22°34', 23°12' de latitud norte y los 82°28', 81°40' de longitud oeste.

Ocupa el décimo cuarto lugar en extensión entre las provincias con 3 732,73 kilómetros cuadrados, representando el 3,40 por ciento de la superficie total del país y el decimoquinto en densidad poblacional con 381 385 habitantes.

**Límites geográficos:**
Al norte: Provincia de La Habana y Estrecho de la Florida
Al este: Provincia de Matanzas
Al sur: Golfo de Batabanó
Al oeste: Provincia de Artemisa

**Río de mayor longitud:** Mayabeque

**Mayor elevación:** El Palenque con 332 metros de altura.

**Geografía física:**
Su relieve esta caracterizado por la Llanura Habana-Matanzas donde se encuentra la Llanura sur Habana- Matanzas y las Alturas de Bejucal y Madruga, pertenecientes a las Alturas Bejucal-Madruga-Coliseo, donde se encuentra el punto culminante de la provincia. Los ríos son cortos y de poco caudal, destacándose los ríos Mayabeque, Canasí y Jibacoa, predominan los suelos fersialíticos, pardos, ferralíticos y húmicos calcimórficos.

## Municipios

01 Matanzas
02 Cárdenas
03 Martí
04 Colón
05 Perico
06 Jovellanos
07 Pedro Betancourt
08 Limonar
09 Unión de Reyes
10 Ciénaga de Zapata
11 Jagüey Grande
12 Calimete
13 Los Arabos

**Ubicación geográfica:** región occidental, entre 24°01', 23°15' de latitud norte y los 80°31', 82°09' de longitud oeste.

Ocupa el segundo lugar en extensión entre las provincias con 11 798,02 kilómetros cuadrados, representando el 10,7 por ciento de la superficie total del país y el septimo en densidad poblacional con 690 113 habitantes.

**Límites geográficos:**
Al norte: Estrecho de la Florida
Al este: Provincias Villa Clara y Cienfuegos
Al sur: Mar Caribe
Al oeste: Provincia Mayabeque y ensenada de la Broa.

**Río de mayor longitud:** La Palma

**Mayor elevación:** Pan de Matanzas con 381 metros de altura.

**Geografía física:**
Predominan las llanuras, ocupan el 80 por ciento del área total, las alturas aparecen hacia el noroeste y centro oeste en las Alturas de la Habana-Matanzas, con el Pan de Matanzas como punto culminante. Las reservas hídricas principales se encuentran en el manto freático, las corrientes fluviales más importantes son el río Hanábana, Canímar y Yumurí, además de importantes bahías. Sus suelos son fértiles y productivos destinados a la actividad agropecuaria, destacándose los ferralíticos rojos con pequeñas áreas de húmicos calcimórficos y los hidromórficos pantanosos.

## Municipios

01 Aguada de Pasajeros
02 Rodas
03 Palmira
04 Lajas
05 Cruces
06 Cumanayagua
07 Cienfuegos
08 Abreus

**Ubicación geográfica:** Situada al sur de la región central, entre 21°50', 22°30' de latitud norte y los 80°06', 80°55' de longitud oeste.

Ocupa el duodécimo lugar en extensión entre las provincias con 4 186,60 kilómetros cuadrados, representando el 3,8 por ciento de la superficie total del país, y el decimocuarto en densidad poblacional con 405 481 habitantes.

## Límites geográficos:

Al norte: provincias Villa Clara y Matanzas
Al este: provincias Villa Clara y Sancti Spíritus

Al sur: Mar Caribe
Al oeste: provincia Matanzas

**Río de mayor longitud:** Hanábana

**Mayor elevación:** Pico San Juan con 1 140 metros de altura.

**Geografía física:**

Predominan las llanuras de Cienfuegos y Manacas, al este las alturas de Santa Clara y las montañas de Guamuhaya, se halla la cueva de Martín Infierno con una estalagmita de 50 metros de alto y 30 metros de diámetro, existen yacimientos de materiales para la construcción. Su hidrografía está representada por los ríos Hanábana, Caunao, Arimao entre otros, las aguas mineromedicinales y termales de Ciego Montero; la bahía de Cienfuegos se destaca por su profundidad, de estrecho canal y amplio interior. Predominan los suelos pardos con carbonatos y sin carbonatos, ferralíticos rojos y húmicos típicos.

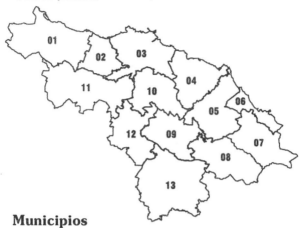

## Municipios

01 Corralillo
02 Quemado de Güines
03 Sagua la Grande
04 Encrucijada
05 Camajuaní
06 Caibarién
07 Remedios
08 Placetas
09 Santa Clara
10 Cifuentes
11 Santo Domingo
12 Ranchuelo
13 Manicaragua

**Ubicación geográfica:** Situada en la región central, entre 22°16', 23°09' de latitud norte y los 80°02', 80°25' de longitud oeste.

Ocupa el quinto lugar en extensión entre las provincias con 8 413,13 kilómetros cuadrados, representando el 7,7 por ciento de la superficie total del país y el quinto en densidad poblacional con 803 562 habitantes.

## Límites geográficos:
Al norte: Océano Atlántico
Al este: Provincia Sancti Spíritus
Al sur: Provincia Sancti Spíritus
Al oeste: Provincias Matanzas y Cienfuegos

**Río de mayor longitud:** Sagua la Grande

**Mayor elevación**: Pico Tuerto con 919 metros de altura.

## Geografía física:
El relieve se caracteriza por las alturas del Norte de Cuba Central, llanura de Manacas y las alturas de Santa Clara. Su hidrografía está representada por los ríos Sagua la Grande y Sagua la Chica y el embalse Alacranes. Prevalecen los suelos oscuros plásticos no gleyzados y pardo con carbonatos y ferralíticos rojos.

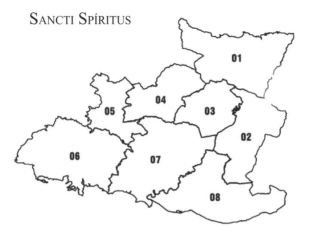

**Municipios**
01 Yaguajay
02 Jatibonico
03 Taguasco
04 Cabaiguán
05 Fomento
06 Trinidad
07 Sancti Spíritus
08 La Sierpe

**Ubicación geográfica**: Situada en la región central, entre 21°32', 22°27' de latitud norte y los 78°56', 80°07' de longitud oeste.

Ocupa el octavo lugar en extensión entre las provincias con 6 779,81 kilómetros cuadrados, representando el 6,2 por ciento de la superficie total del país, y el duodécimo en densidad poblacional con 465 468 habitantes.

**Límites geográficos:**
Al norte: Canal Viejo de Bahamas
Al este: Provincia Ciego de Ávila
Al sur: Mar Caribe
Al oeste: Provincias Cienfuegos y Villa Clara

**Río de mayor longitud**: Zaza

**Mayor elevación**: Pico Potrerillo con 931 metros de altura.

**Geografía física:**
El relieve presenta una gran diversidad, en la parte norte aparece una franja estrecha de la llanura del Norte de Cuba Central, destacan las sierras de Bamburanao y Meneses-Cueto, más al centro se encuentran las lomas de Fomento y las montañas Guamuhaya. Su hidrografía, los ríos son extensos, se destaca el río Jatibonico del Norte, Higuanojo, Yayabo, Jatibonico del Sur y Zaza. Prevalecen los suelos pardos con carbonatos y sin ellos, ferralíticos rojos típicos y los hidromórficos.

**Municipios**
01 Chambas
02 Morón
03 Bolivia
04 Primero de Enero
05 Ciro Redondo
06 Florencia
07 Majagua
08 Ciego de Ávila
09 Venezuela
10 Baraguá

**Ubicación geográfica:** Situada al este de la región central, entre 20°50', 22°41' de latitud norte y los 78°04', 79°08' de longitud oeste.

Ocupa el séptimo lugar en extensión entre las provincias con 6 946,90 kilómetros cuadrados, representando el 6,3 por ciento de la superficie total del país, y el décimotercero en densidad poblacional con 422 576 habitantes.

**Límites geográficos:**
Al norte: Canal Viejo de Bahamas
Al este: provincia Camagüey
Al sur: Golfo de Ana María
Al oeste: provincia Sancti Spíritus

**Río de mayor longitud:** Majagua

**Mayor elevación**: Sierra de Jatibonico con 443 metros de altura.

**Geografía física:**
Predominan las llanuras cársicas con elevaciones aisladas, se destacan las llanuras de Sancti Spíritus, del Norte de Cuba Central y la Sierra de Jatibonico y las lomas de Tamarindo. Su hidrografía se destaca por sus ríos pequeños y poco caudalosos, los más importantes son Chambas, Calvario, Majagua e Itabo, los mayores embalses son Chambas Uno y Chambas Dos. Predominan los suelos ferralíticos muy productivos, los hidromórficos en las llanuras y zonas bajas y los pardos en las alturas.

**Municipios**

01 Carlos M. de Céspedes
02 Esmeralda
03 Sierra de Cubitas
04 Minas
05 Nuevitas
06 Guáimaro
07 Sibanicú
08 Camagüey
09 Florida
10 Vertientes
11 Jimaguayú
12 Najasa
13 Santa Cruz del Sur

**Ubicación geográfica**: Situada al este de la región central, entre 20°27', 22°29' de latitud norte y los 78°00', 78°10' de longitud oeste.

Ocupa el primer lugar en extensión entre las provincias con 15 413,82 kilómetros cuadrados, representando el 14,0 por ciento de la superficie total del país, y el sexto en densidad poblacional con 782 458 habitantes.

**Límites geográficos:**
Al norte: Canal Viejo de Bahamas
Al este: provincia Las Tunas
Al sur: Mar Caribe
Al oeste: provincia Ciego de Ávila

**Río de mayor longitud:** Caonao

**Mayor elevación:** Cerro Tuabaquey con 330 metros de altura.

**Geografía física:**
Predominan las llanuras altas, medias y bajas; del norte, centro y sur de Camagüey-Las Tunas. Su hidrografía está representada por los ríos Caonao, San Pedro, Máximo y Saramaguacán y los embalses Jimaguayú, Porvenir, Amistad Cubano-Búlgara y Muñoz. Prevalecen los suelos pardos con carbonatos, húmicos calcimórficos, fersialíticos, hidromórficos y vertisuelos.

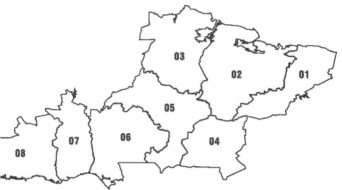

**Municipios**
01 Manatí
02 Puerto Padre
03 Jesús Menéndez
04 Majibacoa
05 Las Tunas
06 Jobabo
07 Colombia
08 Amancio

**Ubicación geográfica:** Situada en la región oriental, entre 20°30', 21°27' de latitud norte y los 77°48', 76°58' de longitud oeste.

Ocupa el noveno lugar en extensión entre las provincias con 6 595,25 kilómetros cuadrados, representando el 6,0 por ciento de la superficie total del país, y el noveno en densidad poblacional con 536 027 habitantes.

113

**Límites geográficos:**
Al norte: Provincia Camagüey y océano Atlántico
Al este: Provincia Holguín
Al sur: Provincia Granma y Golfo de Guaca-
nayabo
Al oeste: Provincia Camagüey

**Río de mayor longitud:** Tana

**Mayor elevación**: Alturas de Cañada Honda
con 219 metros de altura.

**Geografía física:**
Predominan las llanuras; al norte, la llanura del Norte de Camagüey-Las Tunas donde
se encuentran las lomas de Caisimú, Duma-
ñuecos, Cerro Verde, loma Jengibre, la llanura del Sur de Camagüey-Las Tunas y la llanura
del Cauto. Su hidrografía está representada por
los ríos Chaparra, Jobabo, Sevilla, El Tana y los
embalses, Juan Sáez, Las Mercedes, Gramal,
Ciego y Yariguá. Predominan los suelos pardos,
ferralíticos, hidromórficos y vertisuelos.

**Municipios**
01 Río Cauto
02 Cauto Cristo
03 Jiguaní
04 Bayamo
05 Yara
06 Manzanillo
07 Campechuela
08 Media Luna
09 Niquero
10 Pilón
11 Bartolomé Masó
12 Buey Arriba
13 Guisa

**Ubicación geográfica**: Situada al suroeste de la región oriental, entre 19°50', 20°39' de latitud norte y los 76°22', 77°44' de longitud oeste.

Ocupa el sexto lugar en extensión entre las provincias con 8 376,79 kilómetros cuadrados, representando el 7,6 por ciento de la superficie total del país, y el cuarto en densidad poblacional con 835 675 habitantes.

**Límites geográficos:**
Al norte: Provincias Las Tunas y Holguín
Al este: Provincias Holguín y Santiago de Cuba
Al sur: Provincia Santiago de Cuba y el Mar Caribe
Al oeste: Golfo de Guacanayabo

**Río de mayor longitud:** Cauto

**Mayor elevación:** Pico Bayamesa con 1 756 metros de altura.

**Geografía física:**
Predomina la llanura del Cauto y el grupo orográfico de la Sierra Maestra donde se destacan los picos Bayamesa y Martí. Su hidrografía está representada por el río Cauto, Limones, Gua, Yara e Hicotea y los embalses Cauto del Paso, Paso Malo, Pedregales y Buey; sus principales lagunas son Birama, Carenas, Las Playas, entre otras. Predominan los suelos hidromórficos, vertisuelos, húmicos carcimórficos, en las llanuras y pardos en las alturas.

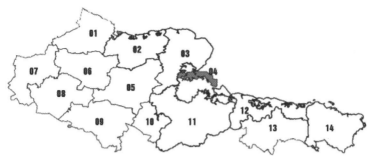

## Municipios

01 Gibara
02 Rafael Freyre
03 Banes
04 Antilla
05 Báguano
06 Holguín
07 Calixto García
08 Cacocum
09 Urbano Noris
10 Cueto
11 Mayarí
12 Frank País
13 Sagua de Tánamo
14 Moa

**Ubicación geográfica:** Situada hacia el noroeste de la región oriental, entre 21°15', 20°24' de latitud norte y los 76°19', 74°50' de longitud oeste.

117

Ocupa el tercer lugar en extensión entre las provincias con 9 209,71 kilómetros cuadrados, representando el 8,4 por ciento de la superficie total del país, y el tercero en densidad poblacional con 1 037 161 habitantes.

## Límites geográficos:
Al norte: Océano Atlántico
Al este: Provincia Guantánamo
Al sur: Provincias Santiago de Cuba y Granma
Al oeste: Provincia Las Tunas

**Río de mayor longitud:** Mayarí

**Mayor elevación:** Pico Cristal con 1 231 metros de altura.

## Geografía física:
Predominan las alturas de Maniabón, llanura del Cauto, llanura de Nipe y las montañas de Nipe-Sagua-Baracoa. Su hidrografía está representada por los ríos Mayarí, Gibara, Sagua de Tánamo, Tacajó y los embalses Gibara, Cacoyugüin y Sabanilla y las bahías de Gibara, Banes y Nipe. Prevalecen los suelos fersialíticos rojo pardusco ferromagnesial, fersialíticos pardo rojizo y oscuro plástico gleyzado.

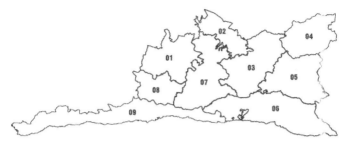

**Municipios**
01 Contramaestre
02 Mella
03 San Luis
04 Segundo Frente
05 Songo–La Maya
06 Santiago de Cuba
07 Palma Soriano
08 Tercer Frente
09 Guamá

**Ubicación geográfica:** Situada al sur de la región oriental, entre 19°53', 20°12' de latitud norte y los 75°22', 77°02' de longitud oeste.

Ocupa el décimo lugar en extensión entre las provincias con 6 234,16 kilómetros cuadrados, representando el 5,7 por ciento de la superficie total del país, y el segundo en densidad poblacional con 1 047 015 habitantes.

**Límites geográficos:**
Al norte: provincia Holguín
Al este: Provincia Guantánamo
Al sur: Mar Caribe
Al oeste: Provincia Granma

**Río de mayor longitud:** Contramaestre

**Mayor elevación:** Pico Real del Turquino con 1 974 metros de altura.

**Geografía física:**
Casi todo el territorio es montañoso, ocupado por la Sierra Maestra y las vertientes sur de las sierras de Nipe y del Cristal, y llano en el extremo oriental de la llanura del Cauto, la cuenca de Santiago de Cuba y el Valle Central. Su hidrografía está representada por los ríos Contramaestre, Guaninicum y Baconao; los embalses Protesta de Baraguá y Carlos Manuel de Céspedes y la laguna Baconao. Predominan los suelos pardos sin carbonatos y fersialíticos amarillentos.

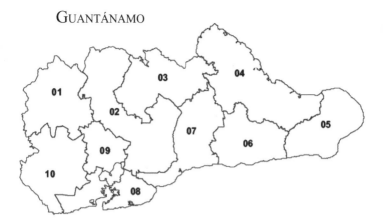

**Municipios**
01 El Salvador
02 Manuel Tames
03 Yateras
04 Baracoa
05 Maisí
06 Imías
07 San Antonio del Sur
08 Caimanera
09 Guantánamo
10 Niceto Pérez

**Ubicación geográfica:** Situada en la región oriental, entre 19°54', 20°30' de latitud norte y los 74°08', 75°30' de longitud oeste.

Ocupa el onceno lugar en extensión entre las provincias con 6 164,47 Km², representando el 5,6% de la superficie del país, y el décimo en densidad poblacional con 510 863 habitantes.

121

**Límites geográficos:**
Al norte: Provincia Holguín y Océano Atlántico
Al este: Paso de los Vientos
Al sur: Mar Caribe
Al oeste: Provincia Santiago de Cuba

**Río de mayor longitud:** Toa

**Mayor elevación:** Pico El Gato con 1 184 metros de altura.

### Geografía física:

Predomina el relieve con elevaciones: las montañas de Nipe-Sagua-Baracoa, parte de la Sierra Maestra, los valles de Guantánamo, Central, del Caujerí y los llanos típicas terrazas marinas. Su hidrografía está representada por los ríos el Toa, Duaba, Yumurí, Guantánamo, Guaso y Sabanalamar. La principal laguna es La Salada y los mayores embalses son la Yaya y Jaibo. Predominan los suelos pardos con carbonatos, fersialíticos e hidromórficos en las zonas bajas y pantanosas, posee yacimientos de sal.

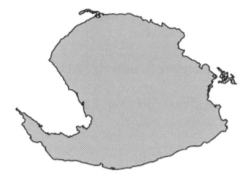

Por su extensión superficial, población y por sus características económicas está considerada como un Municipio Especial, no estando adscripta a ninguna provincia.

**Ubicación geográfica:** Situada en el golfo de Batabanó y al norte del mar Caribe, en la región occidental, en los 21°42' de latitud norte y los 82°50' de longitud oeste.

Ocupa una extensión de 2 419,27 kilómetros cuadrados, representando el 2,2 por ciento de la superficie total del país.

**Límites geográficos:**

Al norte: Aguas del golfo de Batabanó

Al este: Aguas de la plataforma ínsular, Matanzas

Al sur: Mar Caribe

Al oeste: Aguas de la plataforma ínsular, Pinar del Río

123

Representa el 0,8 por ciento de la población del país con 86 242 habitantes, para una densidad de población de 35,6 habitantes por kilómetro cuadrado.

**Río de mayor longitud:** Las Nuevas

**Mayor elevación:** Sierra de La Cañada con 303 metros de altura.

**Geografía física:**
El territorio es llano, destacándose la llanura del norte de la Isla de la Juventud, donde se encuentran las sierras de Casas, de Caballos y de la Cañada; y la llanura del sur de la Isla de la Juventud. Su hidrografía está representada por los ríos Las Nuevas, San Pedro, Las Casas y Júcaro y entre los embalses el Viet-Nam Heroico. Predominan los suelos hidromórficos en las costas, hacia el centro ferralíticos y al sur húmicos calcimórficos.